商用字彙

行書

文史哲出版社
印行

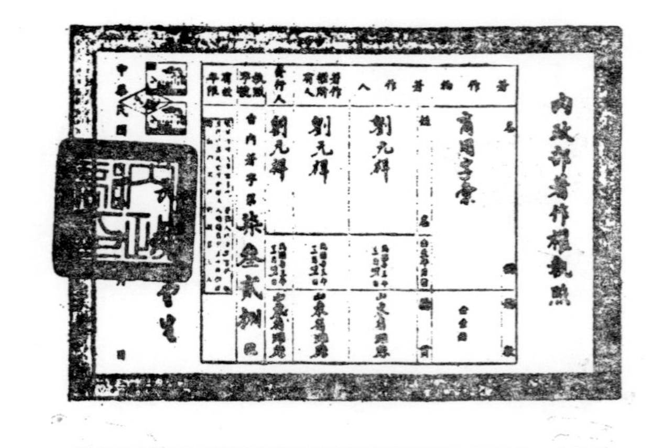

商用字彙

寫作人：劉元祥
出版者：文史哲出版社
登記證字號：行政院新聞局局版臺業字〇七五五號
發行所：文史哲出版社
印刷者：文史哲出版社
台北市羅斯福路一段七十二巷四號
郵撥〇五一二八八一二彭正雄帳戶
電話：三五一一〇二八

實價新台幣 700 元

中華民國八十年六月再版

ISBN 957-547-050-8

檢字表

一畫（頁數）

一 一三三　乙 一三四

二畫

人 三六　刁 五九　刀 六八　丁 八九　几 一一八　乃 一三四　了 一四五　九 一六一　二 一七六　叉 二一九　卜 二二六　七 二三三　八 二三九　力 二五二　十 二五五　入 二六一

三畫

弓 二　工 四　尸 一四　于 二三　叉 三十　才 三四　巾 三八　干 四七　丸 四八　千 五一　山 五一　川 五七　么 六一　大 七五　亡 八十　凡 一一三　己 一二〇　子 一二二　士 一二二　女 一二五　土 一二八　小 一四五　下 一五〇　也 一五〇　丈 一五四　上 一五五　久 一六一　口 一六三　双 一九八　万 二〇一　寸 二〇二　兀 二三八　孑 二四三　夕 二五〇　三 二六〇　乞 二六一　勺 二六一　忄 二八九

四畫

中 一　公 四　公 四　双 八　氏 九　支 九　之 一六　予 二一　毋 二三　夫 三五　仁 三六　屯 三九　文 四十　勻 四十　分 四一　斤 四二　元 四三　反 四四　丹 四六　天 五二　殳 六五　毛 六八　戈 七一　牙 七五　巴 七五　方 七八　王 八二　升 九七　仍 九七　尤 一〇〇　牛 一〇一　不 一〇二　仇 一〇二　勾 一〇五　心 一〇七　今 一〇八　孔 一一六　水 一一九　凶 一一九　止 一二〇　父 一二四　与 一二四　午 一三〇　五 一三〇　戶 一三一　引 一三六　允 一三七　尹 一三七　云 一三八　犬 一四三　少 一四五　爪 一四六　火 一四九　井 一五八　丑 一六〇　友 一六〇　手 一六一　斗 一六四　比 一七六　互 一八五　丙 一九二　太 一九二　介 一九三　內 一九六　幻 二〇六　片 二〇八　弔 二一〇　化 二一五　仆 二二二　欠 二二五　木 二二六　六 二二七　日 二三二　匹 二三三　壬 二三四　勿 二三五　曰 二三六　月 二三六　切 二三九　尺 二四九　仄 二五四　廿 二五六　什 二五六　卅 二五八　及 二五八　丰 二八九　殳 二八九　卞 二八九

五畫

仝 一　功 四　多 五　皮 十　匆 十　台 一六　丕 一六　司 一七　仔 一八　奴 二七　申 三六　民 三八　刋 四八　仟 五一　田 五三　仙 五四　玄 五四　包 六六　禾 七二　瓜 七四　央 八二　平 八七　生 八八　兄 八八　令 九二　正 九二　汀 九五　且 九五　弘 九八　由 一〇一　丘 一〇二　矛 一〇三　囚 一〇三　甘 一一〇　冉 一一一　占 一一一　只 一一五　宄 一一九　矢 一一九　以 一二〇　市 一二〇　卡 一二一　史 一二一　仕 一二二　巨 一二五　去 一二六　主 一二八　古 一二九　本 一三九　巧 一四六　卯 一四六　左 一四八　疋 一五〇　瓦 一五一　伕 一五四　氷 一五四　永 一五六　丙 一五六　打 一五七　皿 一五七　右 一六〇　叩 一六三　母 一六四　他 一六七　犯 一六八　用 一七〇　四 一七六　出 一七七　示 一七七　未 一七九　付 一八一　句 一八二　布 一八六　世 一九一　外 一九三　扒 一九五　代 一九六　旦 二〇三　半 二〇五　甲 二〇九　叫 二一〇　号 二一一　乍 二一四　凸 二一九　戊 二二二　幼 二二三　目 二二九　玉 二二九　失 二三三　出 二三四　必 二三四　弗 二三五　乎 二三五　未 二三八　穴 二四〇　册 二四三　白 二四六　石 二四九　北 二五五　汁 二五六　立 二五七　匝 二五八　凹 二六〇　叶 二六〇　乏 二六〇　尼 二六一　扎 二六一　召 二六一　奶 二六二　可 二六二　孕 二六二　另 二六三　加 二六三　叭 二八九　奶 二八九　它 二八九

六畫

同 一　戎 二　汎 三　充 三　共 八　江 八　夷 一三　池 一三　危 一三　她 一四　而 一七　妃 一九　衣 二十　圳 二十　汚 二三　如 二三　朱 二四　列 二四　西 二九　回 三二　灰 三二　因 三五　臣 三六　份 三八　旬 三九　巡 四十　存 四五　汗 四六　安 四七　奸 五一　先 五一　年 五三　全 五六　交 六五　多 六九　匡 八二　光 八三　行 八五　名 九二　刑 九三　冰 九六　舟 一〇一　收 一〇一　休 一〇二　州 一〇二　牟 一〇三　任 一〇六　尖 一一二　帆 一一三　此 一一六　件 一一七　旨 一一七　弛 一一七　死 一一九　机 一一九

汜 一二一　耳 一二一　虫 一二三　羽 一二六　宇 一二七　迂 一二八　伍 一三〇　札 一三一　米 一三二　亥 一三四　在 一三五　汕 一四二　兆 一四五　老 一四六　早 一四七　好 一四七　朵 一四八　妊 一五二　仰 一五三　仿 一五四　朽 一六〇　有 一六〇　缶 一六一　守 一六一　臼 一六二　扣 一六三　后 一六四　仲 一六九　伎 一七一　企 一七二　至 一七三　次 一七六　自 一七七　地 一七七　字 一七八　吏 一七八　寺 一七八　卉 一八〇　戍 一八二　吐 一八五　汙 一八六　曳 一九〇　艾 一九二

冲 一九七　再 一九七　印 一九九　亘 二〇五　匠 二一六　向 二一六　伏 二二七　竹 二二八　夙 二二九　曲 二三〇　旭 二三〇　吉 二三三　丟 二三五　伐 二三六　迄 二三六　舌 二三九　血 二四〇　丞 二四一　劣 二四二　宅 二四七　亦 二四九　汐 二五〇　式 二五三　色 二五四　合 二五七　划 二六一　攷 二六一　各 二六一　羊 二六一　朴 二六二　忙 二六二　托 二六二　吊 二六三　伙 二六三　时 二六三　庄 二六三　百 二六三　考 二六三　阡 二六三　肉 二六三　肌 二六三　伊 二六四　吃 二八九

互 二八九　匈 二八九　圭 二八九　妄 二八九　兕 二九〇　冲 二九〇

七畫

沖 一　攻 四　邦 八　肛 九　技 九　岐 十　吹 一一　妓 一二　私 一四　利 一四　希 二十　余 二一　車 二一　巫 二三　孚 二五　扶 二五　吾 二七　吳 二七　低 二九　材 三四　災 三四　辛 三五　辰 三五　伸 三六　身 三六　均 四十　汾 四一　君 四二　言 四四　村 四五　呑 四六　但 四七　完 四八　肝 四八　刪 五十

杆 五一　佃 五三　延 五五　杓 六三　妖 六四　抄 六六　岑 六七　牢 六七　何 七十　那 七十　佗 七十　邪 七三　伽 七三　吾 七五　沙 七五　吧 七五　良 七六　些 七六　防 七八　芒 七九　床 八十　狂 八二　汪 八四　更 八五　坑 八六　亨 八七　兵 八八　迎 八八　宏 八九　呈 九一　成 九一　形 九三　迅 九四　伶 九四　廷 九四　町 九五　冷 九五　求 一〇三　投 一〇四　沈 一〇六　沉 一〇六　吟 一〇七　忱 一〇七

含 一〇八　男 一〇八　杉 一一二　佔 一一二　玖 一一三　作 一一五　刨 一一六　家 一一七　妣 一一八　似 一二〇　址 一二〇　否 一二〇　李 一二一　里 一二一　尾 一二二　杷 一二二　呂 一二四　序 一二六　甫 一二七　迂 一二八　肚 一二九　杜 一二九　努 一三〇　孝 一三二　改 一三四　忍 一三五　你 一三七　吻 一三七　阪 一三八　阮 一三八　究 一三八　坍 一四〇　卵 一四〇　佑 一四〇　旱 一四〇　伴 一四一　兎 一四五　坐 一四八　妥 一四八　我 一四八　治 一五〇　把 一五一　伯 一五四

杖 一五五　杏 一五七　灶 一五八　每 一五九　肘 一六〇　妙 一六一　酉 一六二　走 一六三　吼 一六三　牡 一六四　弄 一六九　宋 一七〇　位 一七三　汽 一七五　志 一七七　庇 一八〇　助 一八一　住 一八二　妒 一八四　步 一八七　佈 一八七　系 一八八　弟 一八八　貝 一九二　兌 一九三　戒 一九四　快 一九五　迅 一九八　吝 一九八　困 二〇二　判 二〇五　串 二〇六　見 二〇七　甸 二〇七　肖 二一〇　尿 二一〇　告 二一一　佐 二一三　匣 二一四　壯 二一七　灸 二一九　秀 二二一　豆 二二二

沁 二二三　谷 二二五　角 二二六　沐 二二七　沃 二二九　足 二三〇　束 二三〇　局 二三〇　迄 二三六　佛 二三六　沒 二三七　決 二四〇　抗 二四一　別 二四二　折 二四二　呆 二四八　赤 二四九　役 二五〇　狄 二五一　估 二五二　抑 二五三　即 二五四　克 二五五　吸 二五七　邑 二五七　圾 二六二　灼 二六二　夾 二六三　佇 二六四　罕 二六四　汰 二六四　妊 二六四　忘 二六四　疔 二六四　忌 二六六　妨 二七〇　迄 二七二　皀 二七四　汞 二七六　吵 二九〇　找 二九〇　批 二九〇　坊 二九〇

囤 二九〇　呎 二九〇　佣 二九〇

八畫

東 一　忠 一　空 三　宗 五　松 六　供 八　枝 九　宜 十　披 十一　奇 十一　垂 十一　肢 十一　委 十一　卑 一二　兒 一二　知 一三　呢 一四　芝 一六　其 一七　治 一八　居 一八　初 二〇　肥 二十　非 二十　依 二一　於 二二　坩 二五　芙 二五　姑 二六　孤 二六　狐 二六　炉 二七　呼 二七　妻 二九　佳 三十　泥 三十　乖 三一　玫 三二

杯 三三　來 三四　岷 三八　侖 三九　帑 四十　氛 四一　芸 四一　欣 四二　芬 四二　宛 四四　坤 四五　門 四五　昆 四五　昏 四六　官 四九　弦 五二　肩 五二　迢 五九　看 六四　招 六四　庖 六六　泡 六六　拋 六六　河 七一　阿 七一　坡 七二　和 七二　波 七二　花 七四　杷 七六　晝 七六　爬 七六　昌 七八　房 七八　長 七九　抱 八一　芳 八二　岡 八三　庚 八五　杭 八五　盲 八六　昂 八六　明 八七

京 八七　佷 八九　泓 九十　爭 九十　征 九一　弁 九二　青 九二　法 九二　承 九六　昇 九七　朋 九八　肱 九九　油 一〇〇　抽 一〇一　周 一〇一　邱 一〇二　枕 一〇六　朩 一〇六　金 一〇七　函 一〇九　沾 一一一　咖 一一一　炎 一一二　拈 一一三　岩 一一三　奉 一一四　抵 一一五　佰 一一六　彼 一一六　侈 一一七　兒 一一八　底 一一八　祀 一二〇　使 一二一　始 一二二　阻 一二五　拒 一二五　所 一二五　雨 一二六　斧 一二七　府 一二七　武 一二七　取 一二八

乳 一二八　股 一二九　虎 一三〇　邸 一三二　采 一三五　卷 一三九　研 一四〇　版 一四二　板 一四三　典 一四三　果 一四八　拇 一四九　爸 一四九　社 一五一　舍 一五一　姐 一五一　享 一五三　㕊 一五三　往 一五四　柱 一五五　罔 一五五　秉 一五六　返 一五七　幸 一五七　並 一五九　肯 一六〇　阜 一六一　帚 一六二　受 一六二　咎 一六二　狗 一六三　姍 一六三　況 一六五　料 一六五　參 一六五　奄 一六七　忝 一六七　旺 一七二　泌 一七四　季 一七六　泗 一七六　怡 一七七　事 一七八

侍 一七九　妮 一七九　味 一八〇　注 一八二　附 一八二　抬 一八二　具 一八三　兔 一八四　固 一八五　怖 一八六　制 一九〇　例 一九一　泄 一九一　奈 一九二　怪 一九三　沛 一九三　屆 一九四　㚖 一九四　妹 一九五　佩 一九五　岱 一九六　近 二〇一　念 二〇一　券 二〇一　坪 二〇三　岸 二〇三　怯 二〇五　到 二一一　押 二一三　夜 二一四　亞 二一四　怕 二一五　炙 二一五　尚 二一六　狀 二一六　命 二一七　孟 二一七　性 二一八　姓 二一八　泳 二一八　宙 二一九　定 二一九　咒 二二〇

念 二二四　店 二二四　竺 二二五　育 二二七　服 二二七　叔 二二八　牧 二二九　卓 二三一　岳 二三一　卒 二三五　屈 二三五　物 二三五　拔 二三六　歿 二三七　忽 二三八　刷 二三九　刮 二三九　效 二四一　拙 二四二　杰 二四一　帛 二四六　昔 二四八　易 二四九　析 二五〇　迪 二五一　的 二五一　直 二五二　刻 二五五　拉 二五八　泣 二五八　協 二六〇　狎 二六〇　妾 二六〇　帖 二六〇　刼 二六〇　垃 二六一　邵 二六二　拂 二六二　担 二六二　郵 二六二　刹 二六四　泛 二六四　或 二六四

抹 二六四　矽 二六五　芥 二六五　胅 二六五　枚 二六五　疝 二六五　枇 二六五　放 二六五　歧 二六五　拆 二六五　拍 二六五　拖 二六五　沼 二六六　沸 二六六　軋 二六六　迪 二六六　炒 二六六　沿 二六六　玩 二六六　疚 二六六　沽 二六六　苣 二六七　陀 二六七　芷 二六七　沫 二六七　臥 二七七　姆 二七八　利 二八四　拓 二九〇　姊 二九〇　芽 二九〇　坦 二九一　拌 二九一　拘 二九一　泅 二九一　芹 二九一

九畫

洞 一　風 三　洪 四　紅 四　封 六

重 七　降 八　缸 八　爲 九　珊 一二　姿 一四　眉 一五　思 一七　持 一八　飛 一九　威 二十　俞 二四　胡 二六　枯 二八　査 三十　柴 三十　皆 三一　恢 三二　迴 三二　哀 三三　盃 三三　胎 三四　孩 三四　姻 三五　紉 三七　津 三七　珍 三七　春 三九　軍 四二　怨 四四　盆 四五　奔 四五　竿 四七　胆 四七　看 四八　冠 四九　姦 五十　前 五一　咽 五二　姸 五三　泉 五六　宜 五六　便 五六

穿 五七　迢 五九　挑 五九　垚 六一　枵 六二　要 六三　昭 六三　姚 六三　苗 六四　郊 六五　姣 六五　胞 六六　咬 六六　茅 六六　柯 六九　俄 七〇　科 七二　玻 七二　迦 七三　耶 七三　茄 七三　砂 七五　奎 七五　香 七六　洋 七七　姜 七七　相 七九　殃 八十　皇 八二　英 八四　牲 八七　盈 八八　貞 九十　型 九一　玲 九三　荅 九四　亭 九四　星 九四　局 九五　訂 九五　矜 九七　恒 九九　秋 一〇〇

柔 一〇一　洲 一〇一　酋 一〇一　侯 一〇四　侵 一〇五　幽 一〇五　枸 一〇五　南 一〇八　音 一〇八　咸 一一二　衫 一一三　拱 一一四　勇 一一四　爰 一一四　咫 一一五　是 一一五　美 一一八　指 一一八　軌 一一九　紀 一二〇　恃 一二〇　癸 一二〇　俟 一二二　孛 一二四　侶 一二四　胥 一二五　禹 一二六　柱 一二七　苦 一三〇　沽 一三〇　洒 一三二　怠 一三四　待 一三四　剡 一三五　盾 一三七　苑 一三九　很 一四〇　柬 一四二　限 一四二　衍 一四三　扁 一四三　勉 一四五　狡 一四六

表 一四六　保 一四七　柵 一四九　者 一四九　拄 一五一　衵 一五四　省 一五六　炳 一五六　映 一五六　洗 一五九　柳 一六〇　拯 一六〇　負 一六一　韭 一六一　首 一六一　苟 一六四　柑 一六四　某 一六四　厚 一六四　炮 一六四　品 一六五　派 一六五　染 一六七　范 一六八　俘 一六九　巷 一七一　施 一七二　刺 一七二　帥 一七四　胃 一七九　長 一七九　赴 一八三　故 一八五　度 一八五　怒 一八六　帝 一八七　剃 一八七　恤 一八七　係 一八八　計 一八八　契 一八九　洩 一九一　洌 一九二

拜 一九四　界 一九四　背 一九五　信 一九八　胏 一九八　俊 二〇〇　建 二〇一　恨 二〇二　炭 二〇三　按 二〇三　彖 二〇四　段 二〇四　皈 二〇五　宦 二〇六　奐 二〇七　彥 二〇八　面 二〇九　冒 二一二　架 二一三　洽 二一三　俠 二一四　亮 二一六　勁 二一八　政 二一八　柄 二一八　後 二二一　柚 二二一　奏 二二二　茂 二二二　甚 二二三　陋 二二三　屋 二二五　郁 二二八　卸 二二四　毒 二二九　俗 二三一　促 二三一　姪 二三二　柒 二三三　室 二三三　述 二三四　律 二三四　突 二三七

勃 二三七　活 二三八　頁 二四一　約 二四三　刱 二四三　若 二四三　姙 二四四　洛 二四五　柏 二四六　昨 二四六　客 二四七　珀 二四七　迫 二四六　革 二四八　弈 二四九　疫 二五〇　食 二五三　則 二五四　拾 二五六　急 二五七　柿 二六五　姝 二六六　怎 二六六　垢 二六六　韋 二六七　砌 二六七　胚 二六七　虐 二六七　咳 二六七　厘 二六七　哈 二六七　疤 二六八　枱 二六八　殆 二六八　柩 二六八　胖 二六八　疥 二六八　炸 二六八　秒 二九一　耐 二九一　咪 二九一　奕 二九一　娃 二九一

挖 二九一　杳 二九一　侮 二九二　俏 二九二　俐 二九二　括 二九二　拭 二九二　瓩 二九二　剋 二九二　虹 二九二　迭 二九二　陌 二九二

十畫

凍 一　桐 一　宮 二　躬 二　痃 五　翁 五　烘 五　通 五　胸 六　容 六　逢 七　峰 七　峯 七　茸 八　恭 八　師 一三　衰 一三　脂 一三　追 一五　時 一六　玆 一九　疸 二一　書 二一　徐 二二　娛 二三　除 二三　珠 二四　殊 二四

株 二四　俱 二六　租 二七　烏 二八　差 三一　埋 三二　眞 三四　紙 二九　迷 三〇　栽 三四　財 三四　埃 三五　茵 三五　納 三五　唇 三五　神 三六　娠 三六　秦 三七　純 三八　倫 三九　紋 四十　蚊 四十　員 四一　紛 四二　殷 四二　衷 四三　原 四三　軒 四四　孫 四五　根 四六　恩 四六　桓 四八　般 四九　班 五十　烟 五二　胭 五二　眠 五三　眩 五四　扇 五五　娟 五七　捐 五七　拳 五八　栓 五八

虔 五八　凋 五九　料 六十　釗 六十　宵 六一　消 六一　晁 六二　羔 六七　高 六七　桃 六八　哥 六九　挪 七十　娥 七十　娑 七一　家 七四　茶 七五　參 七六　紗 七六　倡 七八　娘 八十　郎 八一　秧 八二　剛 八三　桑 八三　狼 八三　倉 八三　唐 八三　珮 八三　胱 八四　荒 八四　旁 八六　荊 八七　耕 八九　城 九一　冥 九三　庭 九三　乘 九六　陞 九六　凌 九六　烝 九六　留 九九　流 九九　能 九九

修 一〇一　浮 一〇三　針 一〇六　衾 一〇七　埃 一一三　兼 一一三　恐 一一四　倚 一一五　砥 一一六　俾 一一七　捍 一一八　恥 一二一　起 一二二　鬼 一二三　匪 一二三　豈 一二三　旅 一二四　矩 一二八　祐 一三〇　圃 一三一　浦 一三一　陞 一三二　海 一三四　宰 一三四　疹 一三五　倍 一三五　們 一三六　粉 一三七　剖 一三七　笋 一三七　准 一三七　挽 一三八　娩 一三八　浣 一四一　峪 一四三　展 一四四　浩 一四六　倒 一四七　草 一四七　討 一四七　娜 一四八　倭 一四九　馬 一四九

夏一五一 島一五三 倣一五五 紡一五五 耿一五七 郢一五八 挺一五九 若一五九 紐一六〇 酒一六二 叟一六三 悔一六三 畝一六四 陝一六七 閃一六七 捌一六九 貢一六九 臬一六九 浚一六九 俸一七〇 症一七〇 荔一七一 翅一七二 悅一七二 秘一七三 祕一七三 致一七五 值一七八 記一七九 氣一八〇 恕一八一 悞一八五 厝一八六 悟一八六 素一八六 哺一八七 庫一八七 捕一八七 悌一八八 桂一八九 脆一九〇 害一九二 泰一九二

配一九六 狹一九七 徒一九八 訊一九八 振一九八 晉一九九 陣一九九 訓二〇〇 晏二〇三 案二〇三 倩二〇六 奚二〇六 茜二〇六 宴二〇七 脅二〇七 院二〇八 荐二〇八 框二〇九 套二一〇 笑二一〇 皰二一一 個二一二 射二一四 峽二一五 借二一五 恙二一六 病二一七 浪二一七 徑二一八 秤二一九 祐二二〇 畜二二〇 臭二二〇 候二二一 鬥二二二 浸二二三 峨二二四 哭二二五 站二二五 祝二二八 浴二三〇 辱二三〇 朔二三一

捉二三一 剝二三二 秩二三二 桌二三二 疾二三三 訖二三六 骨二三七 缺二四〇 烈二四一 哲二四一 逝二四二 弱二四三 酌二四三 託二四四 索二四五 格二四五 挾二四六 脈二四七 迹二四八 脊二四八 涂二四八 隻二四九 席二五〇 陟二五二 息二五三 特二五五 級二五七 笈二五七 盍二五八 衲二五八 涉二五九 耻二六〇 祖二六七 疲二六八 核二六八 浚二六八 畔二六八 倦二六九 疴二六九 疽二六九 痙二六九 俯二六九 哮二六九

校二六九 哩二六九 峻二六九 殉二六九 挫二六九 效二六九 砲二七〇 盆二七〇 痂二七〇 耘二七〇 紝二七〇 破二七〇 耗二七〇 耽二七〇 秣二七〇 赶二七〇 衷二七〇 釘二七一 郡二七一 郝二七一 晁二九二 航二九三 拿二九三 併二九三 埔二九三 晒二九三 氧二九三 烤二九三 祠二九三 窄二九三 胰二九三 退二九三 倆二九三 倪二九四 屑二九四 桔二九四 豹二九四 逆二九四

十一畫

終二 崇二 梵三

通五 庸六 逢七 從七 蛇九 移九 涯十 崖十 焊一二 規一三 寅一三 莉一四 飢一四 瓷一四 唯一五 龜一五 梨一五 推一六 帷一六 基一八 魚二十 區二四 符二五 途二七 鹵二八 梯二九 釵三十 淮三一 排三一 梅三二 抹三三 培三三 崔三三 堆三三 猜三四 晨三五 淪三七 陳三七 淳三八 貧三八 彬三八 脣三九 衰四三

寃四四 陷四四 婚四六 痕四六 乾四七 曼四九 朗四九 淇五一 紘五二 堅五二 牽五三 淵五四 連五六 偏五六 淞五六 船五七 旋五七 專五八 痊五八 條五九 彫五九 聊六十 鳥六十 逍六一 陶六三 敎六五 淆六五 巢六六 毫六七 袍六八 掬六八 曹六九 荷七十 梭七一 婆七一 莎七一 斜七三 麻七三 莫七四 祥七七 涼七七 梁七七 痒七七

章七八 商七八 將七九 張七九 莊八十 常八十 堂八一 強八二 康八四 崗八四 凰八五 烹八七 笙八八 崢八九 莖八九 情九十 清九十 旌九十 盛九一 偵九一 屏九二 停九三 陵九五 崩九八 郵九九 悠一〇〇 羞一〇一 脩一〇一 眸一〇三 兜一〇四 梧一〇四 偷一〇四 球一〇四 彪一〇五 婁一〇五 淫一〇六 淋一〇六 參一〇七 深一〇七 庵一〇八 陰一〇八 淦一〇九 婪一〇九

探一〇九 貪一〇九 涵一〇九 淡一一〇 淹一一一 添一一二 甜一一二 粘一一二 捧一一四 滄一一五 紫一一七 硃一一五 捶一一七 婢一一七 徙一一七 匭一一九 [illegible]一二一 痔一二二 理一二二 偉一二三 竟一二三 許一二五 處一二五 做一二六 敍一二六 莒一二六 脯一二七 組一三〇 粗一三〇 部一三〇 啓一三二 彩一三五 斂一三六 採一三六 晚一三八 偃一三八 圈一三九 混一三九 婉一三九 產一四二 區一四三 眼一四三 捲一四四

軟 一四四　剪 一四四　淺 一四四　晃 一四五　皎 一四五　鳥 一四五　紹 一四六　掃 一四七　啞 一五〇　假 一五〇　野 一五〇　捨 一五一　掩 一五二　爽 一五三　梗 一五六　猛 一五七　逞 一五八　頃 一五八　頂 一五九　烱 一五九　偶 一六三　既 一六四　婦 一六四　釦 一六五　蛋 一六六　斬 一六八　控 一六九　累 一七一　寄 一七一　敗 一七一　被 一七一　淚 一七三　偽 一七三　率 一七四　彗 一七四　異 一七九　庶 一八一　望 一八二　務 一八三　娶 一八四　措 一八七　第 一八八　祭 一八九

閉 一八九　逝 一九〇　帶 一九二　掛 一九三　械 一九四　莓 一九五　敗 一九五　捷 一九六　袋 一九七　問 二〇〇　副 二〇一　販 二〇一　健 二〇二　貫 二〇四　患 二〇五　涮 二〇六　眷 二〇九　釣 二一〇　造 二一二　貨 二一三　蚵 二一三　赦 二一五　帳 二一六　唱 二一七　淨 二一八　救 二一九　晝 二二〇　袖 二二〇　授 二二一　售 二二一　透 二二二　寇 二二二　勘 二二三　陷 二二四　速 二二五　啄 二二五　族 二二六　鹿 二二六　逐 二二七　陸 二二七　掬 二二八　淑 二二八　宿 二二九

欲 二三〇　悉 二三二　術 二三四　密 二三四　畢 二三四　尉 二三五　掘 二三六　殺 二三九　脫 二三九　雪 二四二　設 二四三　腳 二四三　略 二四三　雀 二四四　涸 二四五　郭 二四六　責 二四七　麥 二四七　液 二四九　笛 二五一　荻 二五一　戚 二五二　覓 二五二　匿 二五三　勒 二五四　側 二五四　得 二五四　域 二五四　國 二五五　習 二五六　執 二五六　盒 二五七　笠 二五七　接 二五九　票 二六八　細 二七一　紮 二七一　紳 二七一　崙 二七一　崑 二七一　夠 二七一　崎 二七一　偕 二七一

動 二七一　訣 二七二　甯 二七二　舵 二七二　蛀 二七二　訪 二七二　淝 二七二　羚 二七二　翎 二七二　琉 二七二　惜 二七二　梳 二七二　啡 二七三　釧 二七三　酗 二七三　陪 二七三　船 二七三　訟 二七三　豚 二七三　現 二九四　啤 二九四　埠 二九四　娼 二九四　您 二九四　惟 二九四　斌 二九四　款 二九五　氫 二九五　研 二九五　粒 二九五　孳 二九五　這 二九五　睡 二九五　掉 二九五　掠 二九五

十二畫

童 一　衆 二　絨 二　羢 二　雄 二　馮 三

隆 三　窗 八　腔 九　提 十　爲 十一　斯 一二　脾 一二　提 一二　犂 一五　嵋 一六　悲 一六　期 一七　棋 一七　絲 一七　詞 一八　欺 一八　非 一九　揮 一九　圍 一九　幾 二十　舒 二一　稀 二一　虛 二二　疏 二二　猪 二二　無 二三　屠 二三　須 二四　辜 二六　湖 二六　壺 二六　菩 二六　都 二八　惡 二八　酥 二八　犀 二九　隄 二九　啼 二九　街 三十　牌 三〇　階 三一　裁 三三　開 三三

棻 三四　皴 三九　竣 三九　雲 四十　循 四十　焚 四一　賁 四一　筋 四二　勛 四二　粧 四三　番 四三　援 四三　敦 四五　脅 四五　單 四六　寒 四六　殘 四七　痠 四八　牋 五一　閑 五一　間 五一　然 五五　棉 五六　貂 五九　硝 六一　超 六一　朝 六一　堯 六一　椒 六二　焦 六二　描 六四　喬 六五　蛟 六五　殺 六五　鈔 六六　皐 六七　勞 六七　萄 六九　華 七四　陽 七六　揚 七六　琵 七六　量 七七

翔 七七　湯 七八　創 七九　湘 七九　場 七九　棠 八一　黃 八三　惶 八四　爽 八四　傍 八五　彭 八六　晴 八六　評 八七　卿 八八　晶 九十　棚 九十　萍 九五　勝 九七　琪 九八　曾 九八　登 九八　游 一〇〇　猶 一〇〇　鈎 一〇四　尋 一〇五　喉 一〇五　猴 一〇五　琴 一〇六　欽 一〇七　覃 一〇八　森 一〇八　菴 一〇八　堪 一〇九　嵐 一〇九　酣 一一〇　港 一一四　棒 一一四　椅 一一五　項 一一五　痞 一一八　詐 一一八　揆 一一九　喜 一二〇

棲 一二三　渠 一二三　斐 一二三　黍 一二四　貯 一二五　腑 一二七　寓 一二七　虜 一二九　堵 一二九　普 一三一　琥 一三一　屝 一三一　買 一三二　棨 一三二　凱 一三四　傀 一三四　軫 一三五　腎 一三五　菇 一三五　等 一三五　菌 一三六　窘 一三六　診 一三六　筍 一三七　渾 一三九　菀 一三九　散 一四〇　傘 一四〇　款 一四一　孱 一四二　棧 一四二　皖 一四二　喘 一四四　善 一四四　淼 一四六　棗 一四七　惱 一四七　菓 一四八　斑 一五〇　雅 一五〇　廈 一五一　象 一五二　敞 一五三

掌 一五三　景 一五六　煉 一五九　証 一六〇　着 一六一　揜 一六六　敢 一六六　貶 一六七　減 一六八　湛 一六八　筒 一六九　統 一七〇　棟 一七〇　痛 一七〇　棹 一七〇　衕 一七一　智 一七二　備 一七四　費 一七四　寐 一七五　棄 一七五　視 一七五　痾 一七五　貳 一七六　痣 一七七　萃 一七七　植 一七八　貴 一七九　廁 一七九　渭 一八〇　御 一八一　絮 一八一　遇 一八二　弼 一八二　庽 一八二　註 一八三　傅 一八三　閒 一八三　渡 一八四　渝 一八六　訴 一八六　棣 一八八　替 一八八

惠 一八九　稅 一九〇　掣 一九一　畫 一九四　隊 一九五　堡 一九七　貸 一九七　距 一九九　閏 二〇〇　順 二〇〇　舜 二〇〇　悶 二〇二　巽 二〇二　嵌 二〇二　散 二〇三　換 二〇四　奐 二〇五　雁 二〇五　硯 二〇七　飧 二〇七　媛 二〇八　盜 二一一　報 二一二　帽 二一二　賀 二一三　插 二一三　硬 二一八　鈞 二一八　富 二二〇　就 二二一　貼 二二一　貿 二二二　菊 二二七　復 二二七　粥 二二八　琢 二三一　粟 二三一　逸 二三三　壹 二三三　筆 二三四　厥 二三五　越 二三六　粤 二三六

發 二三七　跌 二四〇　耋 二四〇　結 二四〇　傑 二四一　渴 二四一　裂 二四一　揭 二四二　絕 二四二　絡 二四四　短 二四四　博 二四五　鄂 二四五　戟 二四六　策 二四七　鈕 二四七　措 二四八　腋 二四九　喫 二五二　殖 二五三　毯 二五三　黑 二五五　揖 二五六　集 二五六　給 二五七　答 二五八　琦 二七三　棺 二七三　琵 二七三　寗 二七三　琳 二七三　割 二七四　敝 二七四　進 二九九　剩 二七四　喝 二七四　媚 二七四　廂 二七四　測 二七四　最 二七四　揀 二七四　菁 二七五　焙 二七五

痘 二七五　衹 二七五　酢 二七五　菸 二七五　棘 二九五　棵 二九五　殼 二九五　猶 二九六　琛 二九六　菱 二九六　奢 二九六　媒 二九六　強 二九六　握 二九六　氯 二九六　氮 二九六　渣 二九六　猴 二九六　釉 二九六　痙 二九七　硫 二九七　萎 二九七　程 二九七　蛙 二九七　蛔 二九七　週 二九七　鈍 二九七　鈣 二九七　隅 二九七　單 二九七　傢 二九七　喊 二九八　喇 二九八　徧 二九八　惰 二九八

十三畫

嵩 二　楓 三　農 五　蜂 五　頌 六　働 七

傭 七　雍 七　痿 一一　碑 一二　資 一三　綉 一四　獅 一五　綏 一五　葵 一七　詩 一九　違 一九　微 一九　暉 一九　滋 二三　虞 二三　愚 二三　滅 二三　誅 二四　塗 二七　携 三十　溪 三十　滙 三一　煤 三二　雷 三二　新 三五　詢 三八　椿 三八　馴 四十　羣 四一　頒 四一　勤 四二　煩 四三　源 四三　園 四三　溫 四五　煙 五二　滇 五三　填 五三　零 五三　筵 五五　煎 五五　鉛 五七　椽 五八

傳 五八　圓 五八　跳 五九　絹 六一　搖 六三　腰 六四　勤 六六　滔 六七　過 七一　窠 七二　椰 七三　誇 七四　嗟 七四　衙 七五　瑕 七五　詳 七六　鄉 七七　粮 七七　楊 七七　傷 七八　腸 七九　嘗 八十　塘 八一　裝 八一　搶 八二　當 八三　廊 八三　逭 八五　粳 八六　盟 八七　楹 九十　誠 九一　禎 九一　經 九二　傾 九二　鈴 九三　塋 九四　腥 九四　瓶 九五　葡 九六　稜 九八　遊 一〇〇　歃 一〇〇

愁 一〇二　鳩 一〇二　鄒 一〇二　酬 一〇二　搜 一〇二　裘 一〇三　稠 一〇三　溝 一〇四　斟 一〇六　禽 一〇七　禁 一〇七　戡 一〇九　塩 一一〇　痰 一一〇　廉 一一一　董 一一四　蛾 一一六　詭 一一六　煅 一一六　麂 一一八　雉 一一九　裏 一二二　葺 一二三　暑 一二四　鼠 一二四　煮 一二四　楚 一二五　募 一二五　媽 一二八　愈 一二八　鼓 一二九　鈷 一二九　賈 一二九　塢 一三〇　豐 一三一　解 一三二　罪 一三三　滙 一三三　楷 一三三　賄 一三三　矮 一三三　載 一三四　痱 一三四

隕 一三六　準 一三六　遁 一三九　損 一三九　飯 一三九　暖 一四一　碘 一四二　道 一四六　腦 一四八　惹 一五二　跨 一五二　想 一五三　痺 一五三　愴 一五三　葬 一五五　靖 一五七　黽 一五七　鼎 一五九　艇 一六〇　舅 一六二　搬 一六五　飲 一六五　飪 一六五　稔 一六五　感 一六六　塚 一七〇　義 一七二　瑞 一七三　睡 一七四　稚 一七五　嗜 一七五　遂 一七四　肆 一七六　肄 一七七　嗣 一七八　試 一七八　意 一七九　置 一七九　韮 一八〇　搪 一八一　遇 一八二　預 一八二　裕 一八三

路 一八四　槇 一八六　塑 一八六　歲 一八九　勢 一九一　畜 一九一　債 一九三　會 一九三　搭 一九四　話 一九五　塞 一九五　碎 一九六　愛 一九七　僅 一九九　慎 一九九　運 二〇〇　幹 二〇一　萬 二〇一　頓 二〇二　粲 二〇三　煥 二〇四　亂 二〇四　祺 二〇六　電 二〇七　殿 二〇七　絹 二〇八　遍 二〇九　羨 二〇九　照 二一〇　傲 二一一　號 二一一　奧 二一二　嫁 二一三　暇 二一四　靶 二一五　敬 二一七　聖 二一八　溜 二二〇　媾 二二二　暗 二二三　祿 二二六　腹 二二六　肅 二二八

督 二二九　睦 二二九　蜀 二三〇　葯 二三二　瑟 二三五　滑 二三七　歇 二三七　違 二三八　窟 二三八　煞 二三九　鉄 二四〇　暈 二四二　落 二四四　著 二四四　酪 二四五　搏 二四五　跡 二四八　叠 二四八　隔 二四八　動 二五一　飭 二五二　溺 二五二　極 二五三　逼 二五四　塊 二五五　涇 二五六　睫 二五九　楫 二五九　業 二五九　塔 二五九　閘 二五九　鉀 二五九　寗 二七三　嫌 二七四　慌 二七四　煌 二七五　煉 二七五　爺 二七五　溢 二七五　溯 二七五　愧 二七五　該 二七六　補 二七六

瑚 二七六　葛 二七六　裙 二七六　碗 二七六　聘 二七六　腺 二七六　獻 二七六　猿 二七六　瑙 二七六　鉑 二七七　粲 二七七　鈾 二七七　靴 二七七　詹 二七七　賃 二七七　搾 二九八　楨 二九八　業 二九八　痳 二九八　筵 二九八　群 二九八　腫 二九八　葷 二九八　路 二九九　粲 二九九　較 二九九　遊 二九九　鉅 二九九　雌 二九九　飩 二九九　馳 二九九　暄 二九九　傳 二九九　僂 二九九　剿 二九九　剷 三〇〇　嗅 三〇〇　彙 三〇〇　愷 三〇〇　椶 三〇〇　滄 三〇〇　瑛 三〇〇　稟 三〇〇

筠 三〇〇　頑 三〇〇

十四畫

銅 一　熊 三　夢 三　蒙 四　蓉 六　墀 一四　維 一五　旗 一七　疑 一七　慈 一八　斐 二十　與 二一　漁 二一　需 二四　蒲 二六　圖 二七　齊 二八　瑰 三二　魁 三二　臺 三三　綺 三三　甄 三五　賓 三六　銀 三七　塵 三七　閩 三八　綸 三九　聞 四十　熏 四二　魂 四四　酸 四八　團 四八　端 四八　漫 五一　綿 五六　銓 五七　蔫 五七　廖 六十　僚 六十

寥 六十　熙 一八　遙 六二　韶 六三　瑤 六三　漂 六四　僑 六五　敲 六六　膏 六七　豪 六七　髦 六八　歌 六九　蓑 七一　頗 七二　睬 七三　嘉 七四　障 七八　裳 八十　槍 八一　嘗 八一　蒼 八三　網 八四　臧 八五　榜 八六　鳴 八七　榮 八八　禎 九一　輕 九一　銘 九四　蒸 九五　寧 九五　稱 九七　兢 九七　僧 九八　榴 一〇〇　漸 一一二　監 一一三　銜 一一三　鄙 一一八　爾 一一八　語 一二三　蜚 一二三　綾 一二四

墅 一二六　舞 一二七　聚 一二七　腐 一二八　溘 一二九　滬 一三一　影 一三三　遞 一三三　腿 一三三　綵 一三五　盡 一三六　緊 一三六　誕 一四〇　滿 一四一　瘓 一四一　管 一四一　算 一四一　演 一四三　趙 一四五　肇 一四五　磁 一四七　裸 一四八　禍 一四九　蝦 一五〇　彰 一五〇　寡 一五一　箋 一五二　像 一五二　獎 一五二　槎 一五二　網 一五四　境 一五五　榔 一五六　領 一五八　綬 一六二　壽 一六二　誘 一六二　寢 一六五　歉 一六七　截 一六七　鳳 一六八　粽 一六九　綜 一七〇

漲 一七〇　漬 一七二　粹 一七三　毀 一七三　瘥 一七五　翠 一七六　誌 一七七　飼 一七八　翡 一八〇　精 一八〇　署 一八一　碱 一八四　搏 一八四　屢 一八四　誤 一八五　墓 一八五　製 一九〇　睿 一九〇　綴 一九〇　際 一九〇　滯 一九一　誓 一九一　蓋 一九二　對 一九六　幅 一九六　誨 一九六　漑 一九七　態 一九七　認 一九八　遜 二〇二　嫩 二〇二　漢 二〇三　慢 二〇五　蒜 二〇五　慣 二〇六　綫 二〇八　裱 二一一　貌 二一一　箇 二一二　綢 二一六　暢 二一六　嗽 二二二　構 二二三

漏 二二三　墊 二二四　厭 二二四　僕 二二六　福 二二七　蓄 二二八　銥 二二八　酷 二二九　獄 二三〇　實 二三二　漆 二三三　蜜 二三三　罰 二三六　竭 二三七　奪 二三八　察 二三九　說 二四二　幕 二四四　漠 二四四　箔 二四五　劃 二四七　瑪 二四七　摘 二四八　碧 二五〇　滌 二五一　滴 二五一　飾 二五三　閣 二五八　榻 二五九　颱 二六〇　嫚 二七七　摧 二七七　孵 二七七　賑 二七八　輔 二七八　瘋 二七八　蓆 二七八　裹 二七八　榕 二七八　熄 二七八　瑯 二七八　榦 二七八　滾 二七八

飽 二七九　瘧 二七九　颳 二七九　僱 三〇〇　磔 三〇〇　種 三〇一　窩 三〇一　箏 三〇一　赫 三〇一　趕 三〇一　輓 三〇一　辣 三〇一　遣 三〇一　酵 三〇一　鼻 三〇一　綠 三〇一　榘 三〇一　嘔 三〇二　寨 三〇二　幛 三〇二　慷 三〇二　慨 三〇二　摸 三〇二　摔 三〇二　碩 三〇二　箕 三〇二　麼 三〇二

十五畫

窮 三　鋒 七　撞 九　儀 十　戲 十　璃 一二　遲 一四　輜 一七　輝 一九　閭 二二　膚 二五　廚 二五　敷 二五　糊 二六

模 二六　鋪 二八　黎 二八　稽 二九　鞋 三一　鄭 三六　醇 三八　輪 三九　論 三九　墳 四一　樊 四三　彈 四七　寬 四九　盤 四九　憐 五二　賢 五二　蓮 五三　編 五四　篇 五四　潺 五五　翩 五六　緣 五七　調 五九　遼 六十　寮 六十　撩 六十　澆 六十　銷 六一　霄 六一　窯 六二　嬌 六二　潮 六二　窖 六三　標 六三　廟 六四　膠 六五　撈 六七　褒 六八　熬 六九　槽 六九　遨 六九　駝 七十　鄒 七一

摩 七一　蝌 七二　遮 七三　課 七三　鴉 七五　樟 七八　箱 七九　蔣 八十　瘡 八十　蝶 八一　潢 八五　蝗 八六　澎 八六　瑩 八八　澄 八八　徵 九七　層 九八　增 九八　憂 九九　瘤 一〇〇　劉 一〇〇　播 一〇三　樓 一〇四　歐 一〇四　蔘 一〇八　潭 一〇八　毿 一〇九　慙 一一〇　談 一一〇　髯 一一一　潛 一一二　鞏 一一四　劇 一一六　履 一一九　齒 一二一　駛 一二二　褚 一二五　緒 一二六　數 一二八　豎 一二八　魯 一二九　磊 一三三　罷 一三三

璀 一三四　憫 一三六　憤 一三七　槿 一三八　緩 一四〇　撰 一四二　踐 一四三　撚 一四三　篆 一四四　稻 一四六　碼 一四九　罵 一四九　踝 一五一　寫 一五一　養 一五二　槳 一五三　賞 一五四　廠 一五四　廣 一五五　賊 二五五　影 一五六　霆 一五九　請 一五九　牖 一六二　趣 一六三　審 一六五　儉 一六七　範 一六八　糉 一六九　賜 一七一　誼 一七二　醉 一七三　墜 一七七　餌 一七八　撫 一七八　幟 一七八　嬉 一七九　慰 一八〇　緯 一八〇　羲 一八一　慮 一八一　賦 一八三　暮 一八四

慕 一八四　醋 一八七　衞 一八九　慧 一八九　幣 一九〇　厲 一九一　賣 一九四　蔡 一九四　輩 一九六　潰 一九六　震 一九八　廢 一九八　潤 二〇〇　鴈 二〇五　澗 二〇五　麪 二〇七　練 二〇七　線 二〇八　箭 二〇九　賤 二〇九　鬧 二一一　靠 二一二　暴 二一二　駕 二一三　價 二一四　蝶 二一五　蔗 二一五　慶 二一七　鄭 二一八　鄧 二一九　瘦 二二〇　皺 二二〇　複 二二一　蔭 二二三　暫 二二四　穀 二二五　熟 二二七　膝 二三二　質 二三二　確 二三二　髮 二三七　撥 二三八　瞎 二三九

撮 二三九　潔 二四〇　節 二四〇　澈 二四二　熱 二四二　徹 二四三　樂 二四四　魄 二四五　碧 二五〇　敵 二五一　億 二五三　蝕 二五三　德 二五四　稷 二五四　緝 二五五　墨 二五五　踏 二五八　斲 二七七　弊 二七八　熨 二七九　瑾 二七九　潦 二七九　磁 二七九　璋 二七九　嘴 二七九　戮 二七九　噌 二七九　劍 二七九　樞 二八〇　撲 二八〇　概 二八〇　樣 二八〇　歎 二八〇　潘 二八〇　潑 二八〇　毅 二八〇　樑 二八一　餉 二八二　蔓 二八三　蔔 二八三　蔚 二八三　踢 二八三　輛 二八三

締 二八三　霉 二八三　銳 二八三　餃 二八三　鋁 二八三　駐 二八三　閱 二八三　褓 二八四　蝴 二八四　誰 二八四　賠 二八四　踞 二八四　踪 二八四　蔬 二八四　蝦 二八四　衝 二八四　翟 二五七　墮 三〇二　磅 三〇二　碾 三〇三　稿 三〇三　緘 三〇三　緞 三〇三　舖 三〇三　蕪 三〇三　蕪 三〇三　賬 三〇三　鋤 三〇三　鋅 三〇三　隣 三〇三　麩 三〇三　撓 三〇三　撤 三〇四　毆 三〇四　緬 三〇四　蝨 三〇四　撒 三〇六

十六畫

融 二　龍 六　濃 七　窺 一一

隨 一一　龜 一五　頤 一六　機 二十　龍 六　遺 一五　餘 二一　諸 二二　豬 二二　儒 二四　輸 二五　盧 二七　穌 二八　餔 二八　懷 三一　諧 三一　諜 三六　親 三六　遵 三九　臻 四十　勳 四二　蕃 四三　奮 四四　誼 四四　翰 四六　壇 四七　餐 四七　燕 五二　錢 五四　縣 五四　遷 五五　燃 五五　磚 五八　雕 五九　遼 六十　蕉 六二　樵 六二　瓢 六三　燒 六三　橋 六四　貓 六四　糕 六七　操 六九

磨 七二　噸 七四　糖 八一　彊 八二　鴦 八二　橫 八四　璜 八四　鋼 八四　衡 八八　橙 八九　頸 九二　錦 九三　鴒 九三　螢 九五　憑 九六　凝 九七　興 九七　燈 九八　蹂 一〇二　謀 一〇三　儔 一〇三　頭 一〇四　甌 一〇五　霖 一〇六　擒 一〇七　擔 一一〇　擁 一一四　蕊 一一五　樹 一二八　賭 一二九　澧 一三一　墾 一四〇　盥 一四一　選 一四四　辨 一四四　瘰 一四九　蕩 一五五　靜 一五七　頻 一五八　整 一五八　穎 一五八　醒 一五九　褪 一六二

險 一六六　橄 一六六　撼 一六六　積 一七一　隧 一七四　冀 一七五　緻 一七五　膩 一七五　器 一七六　暨 一七六　謂 一八〇　據 一八一　豫 一八二　曉 一八五　錯 一八六　褲 一八七　燙 一八八　噬 一九〇　憩 一九一　懈 一九三　賴 一九三　遴 一九九　燐 一九九　奮 二〇一　憲 二〇二　澱 二〇六　辦 二〇六　膳 二〇八　諺 二〇八　戰 二〇八　嘯 二一〇　導 二一一　澳 二一二　餓 二一三　瘴 二一六　錠 二一九　獨 二二五　樸 二二六　築 二二八　篤 二二九　錄 二三〇　學 二三二　橋 二三四

謁 二三七　諾 二四六　霍 二四六　擇 二四七　積 二四八　澤 二四八　歷 二五〇　激 二五〇　錫 二五〇　曆 二五一　曄 二五二　壁 二五二　默 二五五　輯 二五六　煩 二六〇　駱 二七七　鴣 二八〇　鴨 二八〇　麈 二八〇　璣 二八〇　餘 二八一　鮑 二八一　蕙 二八一　蕃 二八一　諦 二八一　閻 二八一　磬 二八一　穆 二八一　橱 二八二　噴 二八二　擅 二八二　噩 二八二　澡 二八二　樺 二八二　濁 二八二　濂 二八二　橡 二八二　羲 二八五　劑 三〇四　噪 三〇四　舘 三〇四　錶 三〇四　鋸 三〇四

錘 三〇四　寰 三〇四　暹 三〇四　錳 三〇五　錕 三〇五

十七畫

鴻 四　聰 五　篷 五　鍾 六　縫 七　縱 八　聳 九　戲 十　虧 一一　薇 一六　雖 一六　禧 一八　徽 一九　舉 二二　鍍 二七　齋 三二　磧 三三　薪 三五　濱 三七　繁 四三　餛 四四　韓 四六　環 五十　鄭 五一　鮮 五四　氈 五五　聯 五六　蕭 五九　邀 六十　餚 六五　濤 六八　糟 六八　蹉 六九　螺 七一　鍋 七一　螟 七三

霞 七四　薑 七八　霜 八十　償 八一　牆 八一　薔 八二　幫 八五　嶸 八九　營 九十　嬰 九十　聲 九一　膺 九六　應 九七　謄 九九　優 九九　燴 九九　繆 一〇五　臨 一〇六　臉 一一一　謙 一一二　黏 一一二　講 一一四　擬 一二一　禦 一二四　擊 一二六　蕾 一三三　儡 一三三　隱 一三八　懇 一四〇　矯 一四六　顆 一四九　檥 一五四　嶺 一五八　醜 一六一　斂 一六六　膽 一六六　點 一六七　濫 一六八　礁 一六八　避 一七一　臂 一七一　懋 一七二　穗 一七四

孺 一八三　療 一八四　濟 一八七　擠 一八八　隸 一八九　謎 一八九　勵 一九二　膾 一九三　壓 一九四　邁 一九五　戴 一九七　賽 一九七　糞 二〇〇　駿 二〇〇　濬 二〇〇　館 二〇四　燦 二〇四　禪 二〇六　鍊 二〇七　輾 二〇九　餞 二一〇　謝 二一四　嚇 二一四　臏 二一九　罄 二一九　燮 二二一　癆 二二三　殮 二二四　縮 二二七　鞠 二二八　燭 二二九　嶽 二三一　闊 二三八　檜 二三八　薛 二三八　豁 二三九　褻 二四一　縛 二四四　獲 二四七　擊 二五〇　績 二五一　翼 二五四　濕 二五六

鴿 二五七　壑 二八一　嶼 二八一　擦 二八四　檀 二八四　襄 二八五　賺 二八五　薦 二八五　總 二八五　謠 二八五　磯 二八五　癌 二八五　糙 二八五　趨 二八六　購 二八六　鍰 二八六　輿 二八六　黛 二八六　鎂 二八六　闌 二八六　鍛 二八七　彌 三〇五　檢 三〇五　蟑 三〇五　謊 三〇五　蹈 三〇五　鍼 三〇五　錨 三〇五　闆 三〇五　壕 三〇五

十八畫

蟲 一　豐 三　鬃 五　叢 五　鎔 六　鬆 六　雙 八　騎 十　彝 一三　醫 一八

歸 二十　儲 二二　雛 二五　題 二九　雞 二九　檳 三七　薰 四一　翻 四四　顏 五十　鵑 五四　蟬 五五　鞭 五七　璿 五七　翹 六四　鵝 七十　鯊 七五　糧 七七　簧 八五　藏 八六　鎗 八七　鍬 一〇〇　謳 一〇四　簪 一〇九　藍 一一〇　邇 一一七　壘 一一九　鯉 一二一　礎 一二六　鵲 一二七　禮 一三一　擲 一三八　擴 一四一　簡 一四二　轉 一四四　擾 一四五　鎖 一四八　瀉 一五二　謹 一五六　檸 一五七　簞 一六七　檻 一六八　甕 一六九　櫃 一七四

織一七七　魏一八〇　薯一八一　贅一九〇　獵一九四　聶一九六　穢一九八　鎮一九九　殯一九九　斷二〇四　簞二〇四　繕二〇八　竅二一〇　瀑二一二　藉二一四　醬二一七　舊二二〇　覆二三一　謬二三三　濕二三六　濼二三六　溺二三四　關二三六　薩二三八　額二四六　璧二五〇　癖二五一　職二五二　雜二五八　檯二八五　擺二八五　檬二八五　爵二八六　襆二八六　濾二八六　蹤二八七　馥二八七　薺二八八　簷二八八　瞿二八八　闕三〇五

十九畫

龐九　麗一二　離一二　麒一七　辭一八　廬二二　鏤二五　懷三一　鯤四五　難四七　關五十　攀五十　顛五三　邊五四　鏈五五　簫五九　韜六八　羅七十　疆七九　羹八六　鯨八八　瀛九十　瓊九二　蠅九六　懲九六　繩九七　鵬九八　藤九九　襟一〇七　簷一一〇　簾一一一　蟻一一五　靡一一六　簿一三〇　譜一三一　蟹一三二　穩一三九　孀一四〇　禱一四七　襖一四八　藕一六三　類一七三　餽一七四

識一七七　霧一八三　繫一八八　繪一八九　藝一九一　壞一九三　礙一九七　韻二〇〇　願二〇一　贊二〇三　爆二一一　鏡二一七　曠二一七　證二一九　獸二二〇　繡二二一　藥二四三　醱二五三　臘二五八　繳二八二　餡二八六　壢二八六　譚二八七　鶉二八七　儳二八七　寵二八七　贊二八七　瀝二八七　簽三〇六　藩三〇六　霸三〇六　贈三〇六　轎三〇六　醮三〇六　鏢三〇六　餻三〇六　鵲三〇六　騙三〇六　懶三〇六　曝三〇七　曉三〇七

二十畫

瓏四　鐘六　犧十　蘆二二　爐二七　蘇二八　蘋三七　蘊四一　饅四九　懸五四　騫五八　飄六四　騷六八　攘七九　聽九二　罄九三　齡九四　騰九九　籃一一〇　鹹一一一　嚴一一三　纂一四一　闡一四四　寶一四七　癢一五二　壤一五四　黨一五五　警一五六　礦一五七　艦一六八　議一七二　繼一八八　藹一九二　勸二〇一　獻二〇二　麵二〇七　耀二一〇　競二一七　覺二三一　藻二三五　贏二四一　釋二四九　譯二四九

麵二八二　儳二八七　寶二八七　瀟二八七　籍二八七　衛二八八　籌二八八　糯三〇七　糰三〇七　攔三〇七　礪三〇七

廿一畫

譽二一　驅二四　攜三十　鷄三一　蘭四八　欄四八　纏五五　鐫五六　饒六二　魔七二　轟八九　鶯八九　櫻八九　躊一〇三　闢一三三　蠢一三七　覽一六六　懼一八三　辯一八三　露一八五　護一八五　顧一八五　儷一八九　襯一九九　爛二〇三　灌二〇四　饌二〇九　竈二一二　霸二一五　靡二一五

屬二三〇　續二三一　襪二三七　鐵二四〇　鐸二四四　鶴二四六　攝二五九　蠟二五九　籐二八八　躍二八八　贓三〇七　饑三〇七　囍三〇七　巍三〇七

廿二畫

龕四　聾四　攤四七　歡四九　彎五十　巔五三　權五八　驕六二　鰲六九　驊七四　囊八五　聽九三　鷗一〇五　髓一一六　灑一一七　灘一四一　癬一四三　穩一五〇　響一五三　懿一七六　臟一九五　襯一九九　讀二二五　鑑二二五　贖二三一　竊二四〇　疊二四五

襲二五六　鑒二八八　鑄二八八　鬚二八八　龔三〇七　饉三〇八　鷓三〇八

廿三畫

癰七　黴一五　纔三四　麟三七　攣五八　驚八七　纓九一　籤一一一　纖一一一　髓一一六　巖一一三　體一三二　顯一四二　髒一五五　鑣一五八　曬一七三　戀二〇九　變二〇九　邏二一三　驗二二四　靨二六〇　驛二八八　鱔三〇八　攪三〇八

廿四畫

鑫二九　靈九三　鷹九六　蠶一〇九　鹽一一〇　攬一六六　贛一六六　鹼一六八

驟一七〇　鷺一八四　灝二一五　釀二一六　讓二一六　闤二二二　艷二二四　罐二二四　靄二六四　囑二八八　壩三〇八

廿五畫

觀四九　蠻五十　灣五十　鑲八十　廳九四　欖二三四　籬二八一　贜三〇七　鑰三〇八

廿六畫

驢一三　讚二〇四

廿七畫

鑽四九　鑼七十　纜二二四　鱷三〇八

廿八畫

鸚八九　鑿二二六

廿九畫

鬱二三五

卅畫

鸞四九　鸝七二

東同蟲
童凍中
桐洞銅
忠仝沖

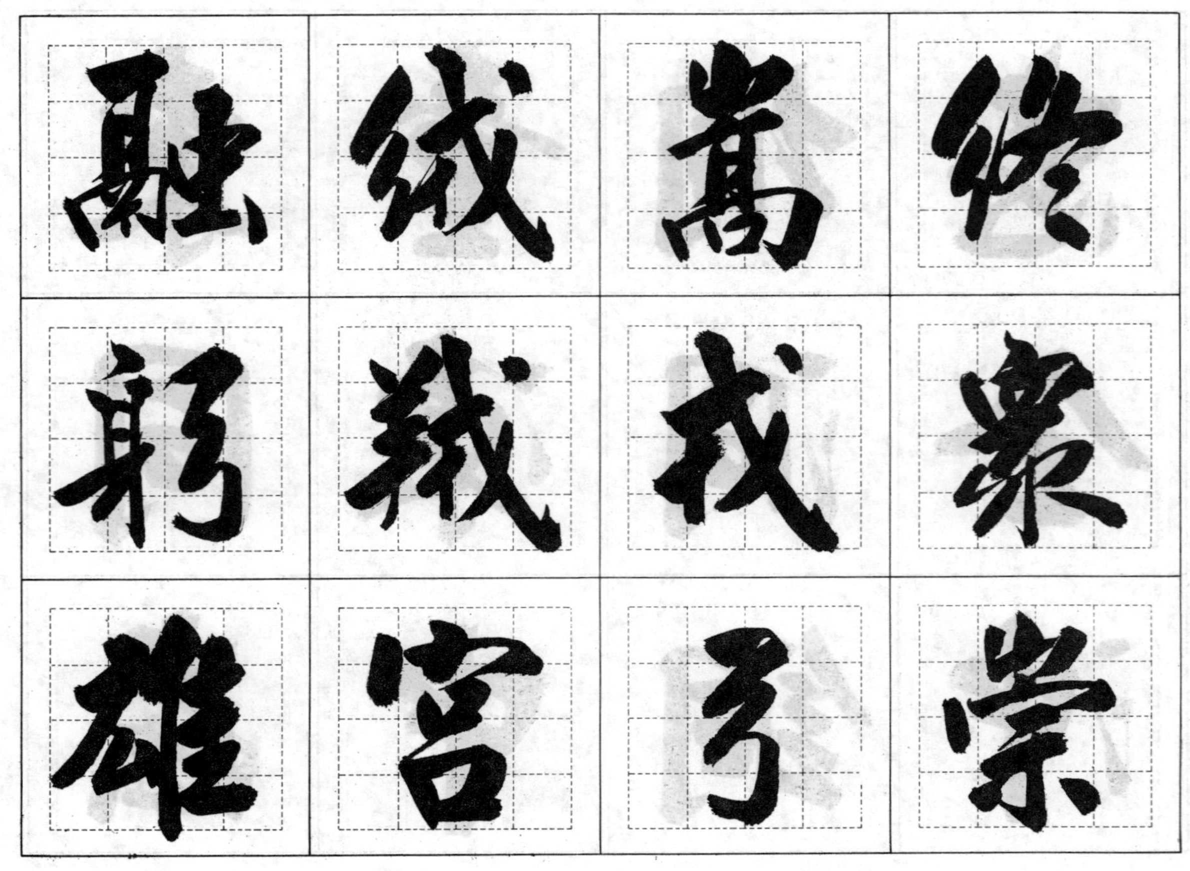

豐 風 馮 熊
楓 充 汎 夢
空 隆 龍 窮

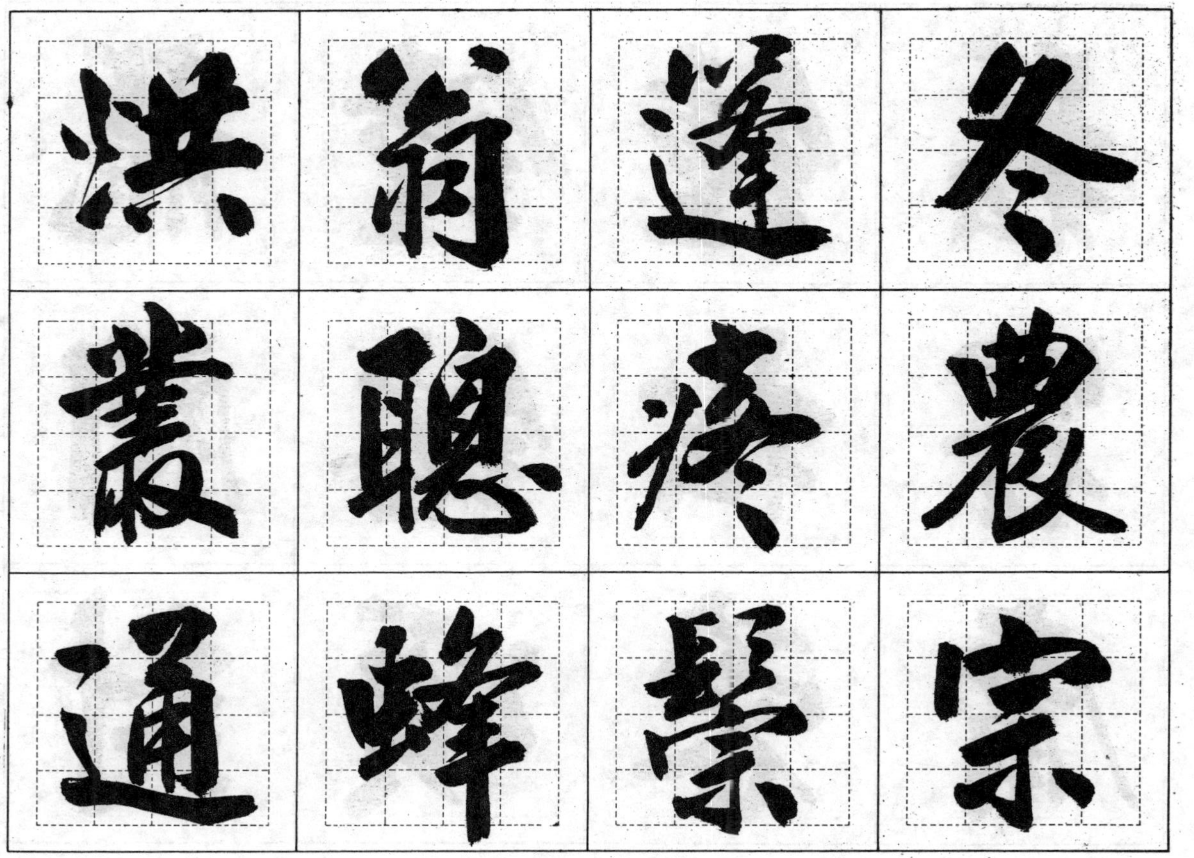

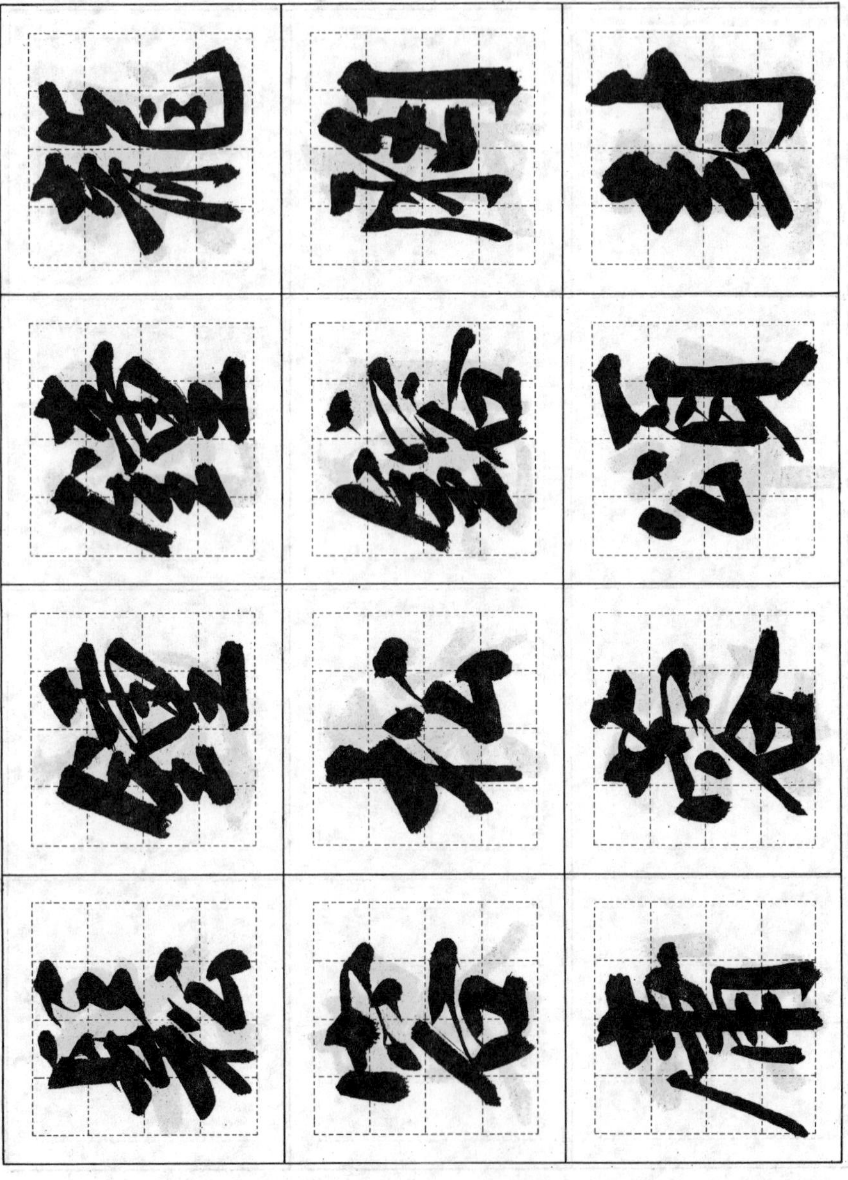

重
鋒
勵
濃
逢
峰
傭
峯
從
縫

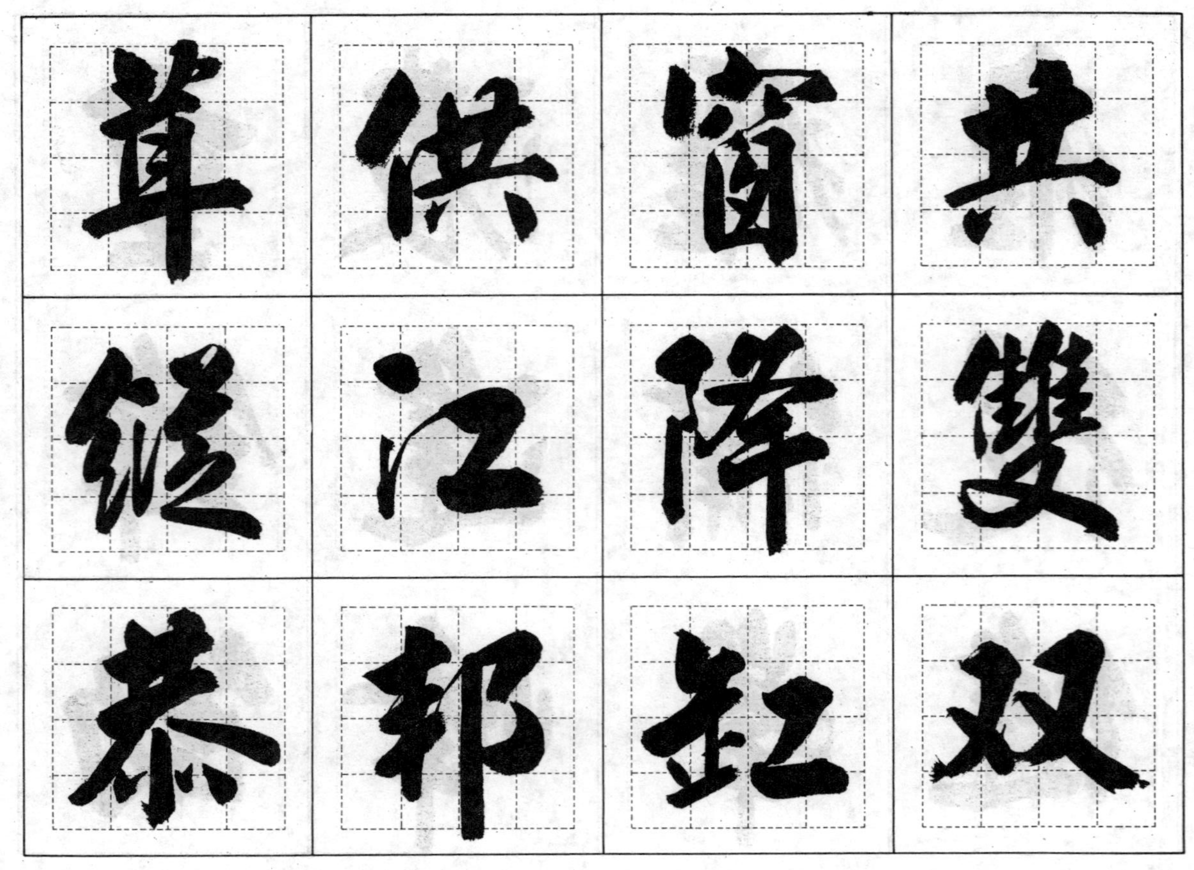
共
雙
双
窗
降
缸
供
江
邦
葺
縫
恭

皮
涯
崖
戲
儀
提
騎
宜
戲
岐
匆

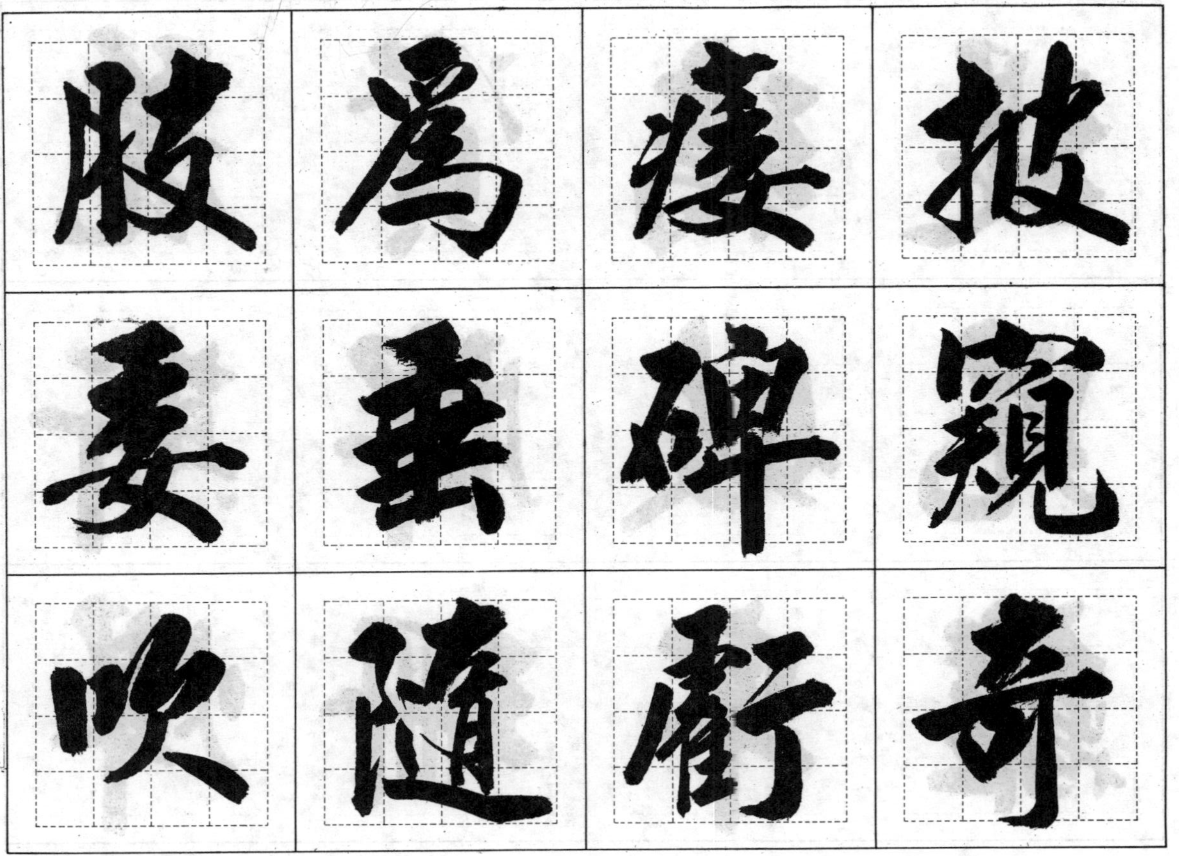
披
窺
奇
褸
碑
虧
爲
垂
隨
肢
委
吹

池知規寅
危衰藝綉
驥脂夷師

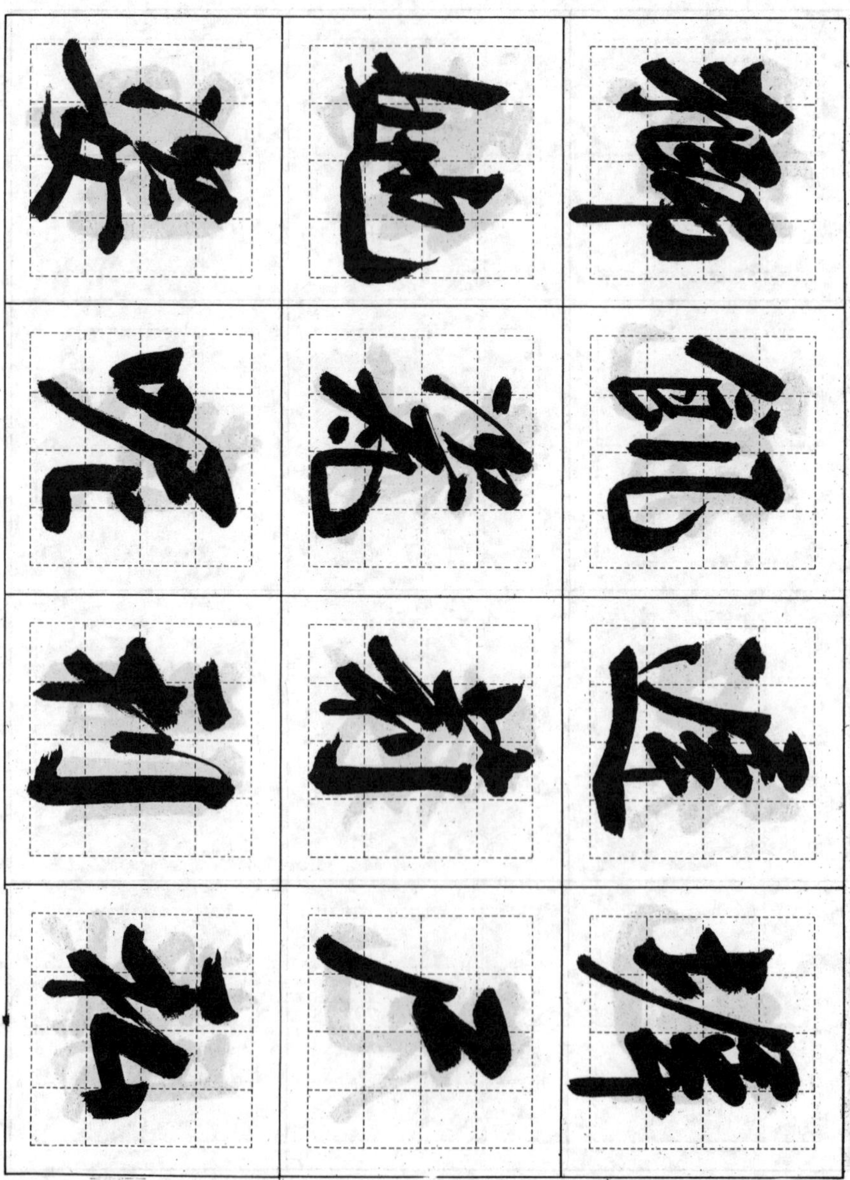

梨 犂 龜 遺
葵 追 唯
維 綏 眉 徽

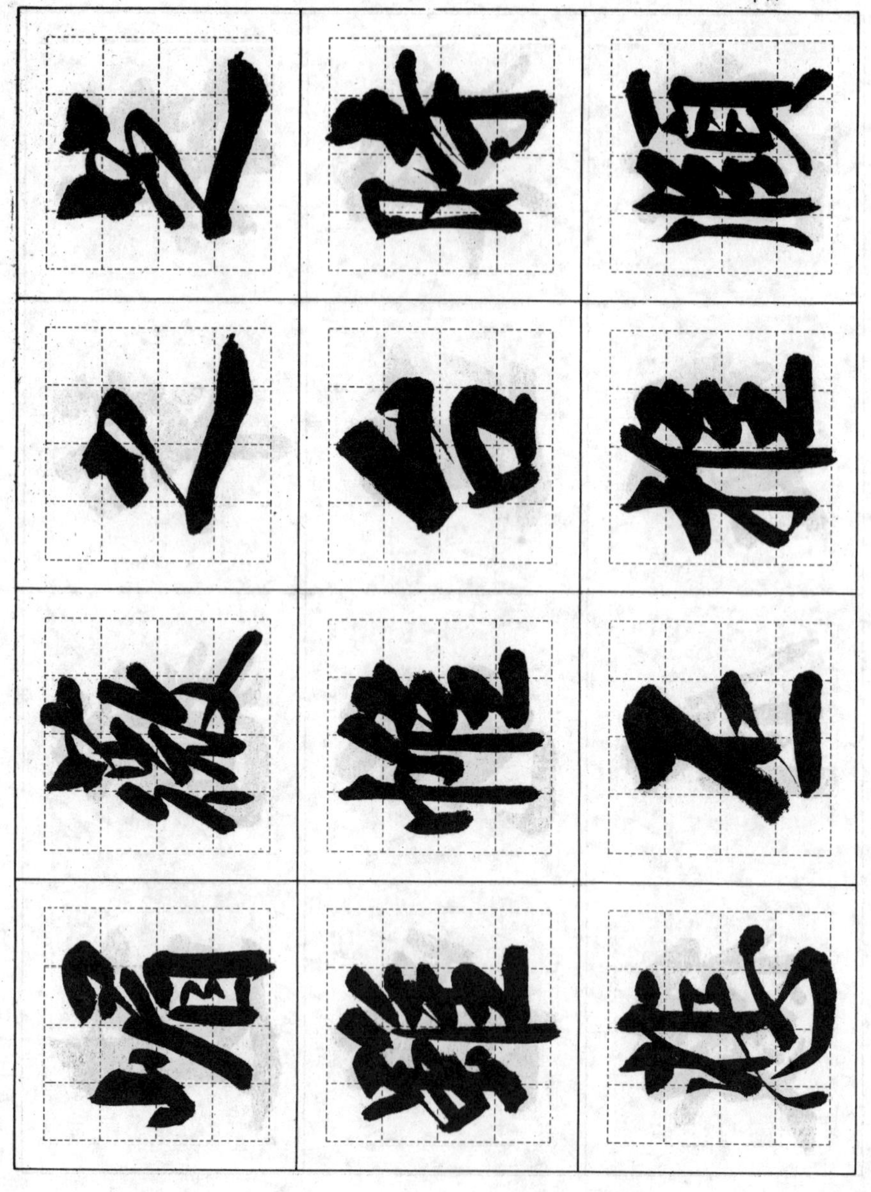

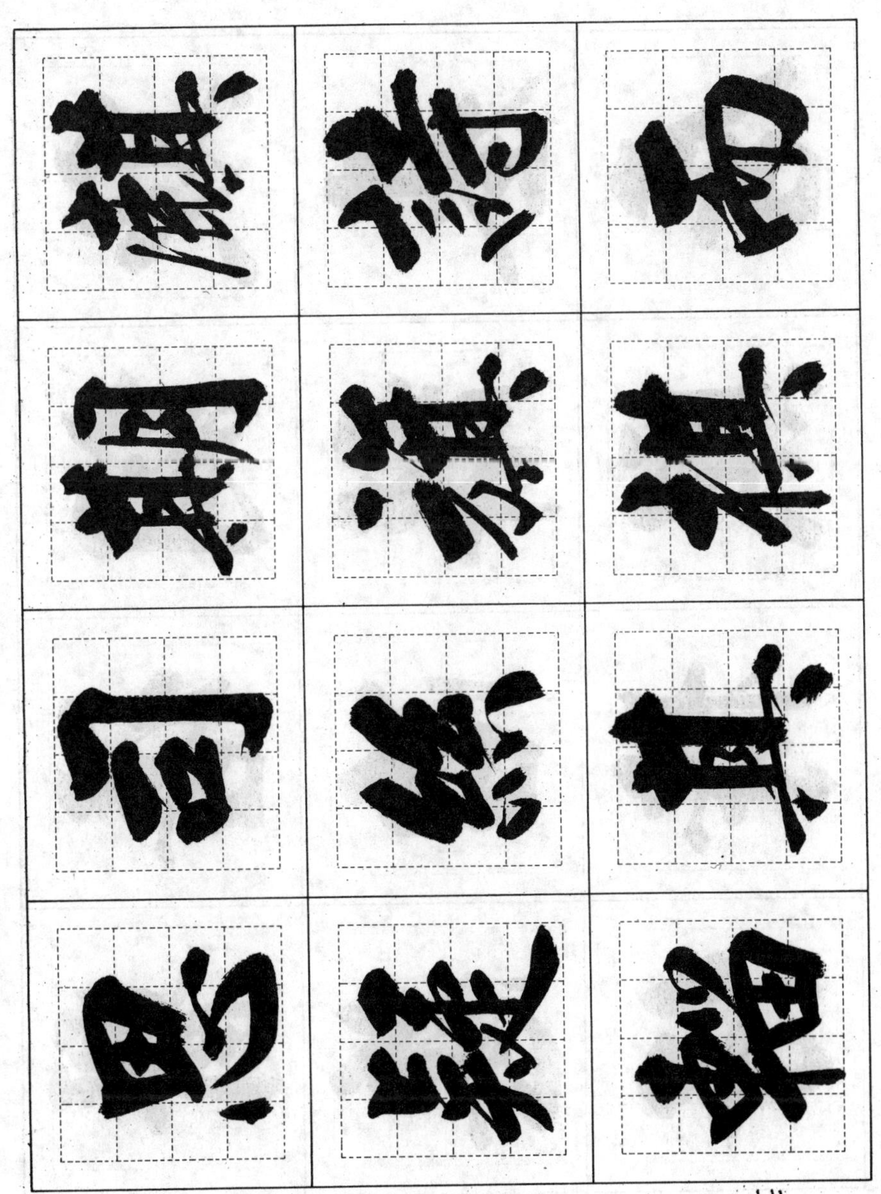

欺 詞 禧 醫
基 辭 治 慈
居 煕 持 仔

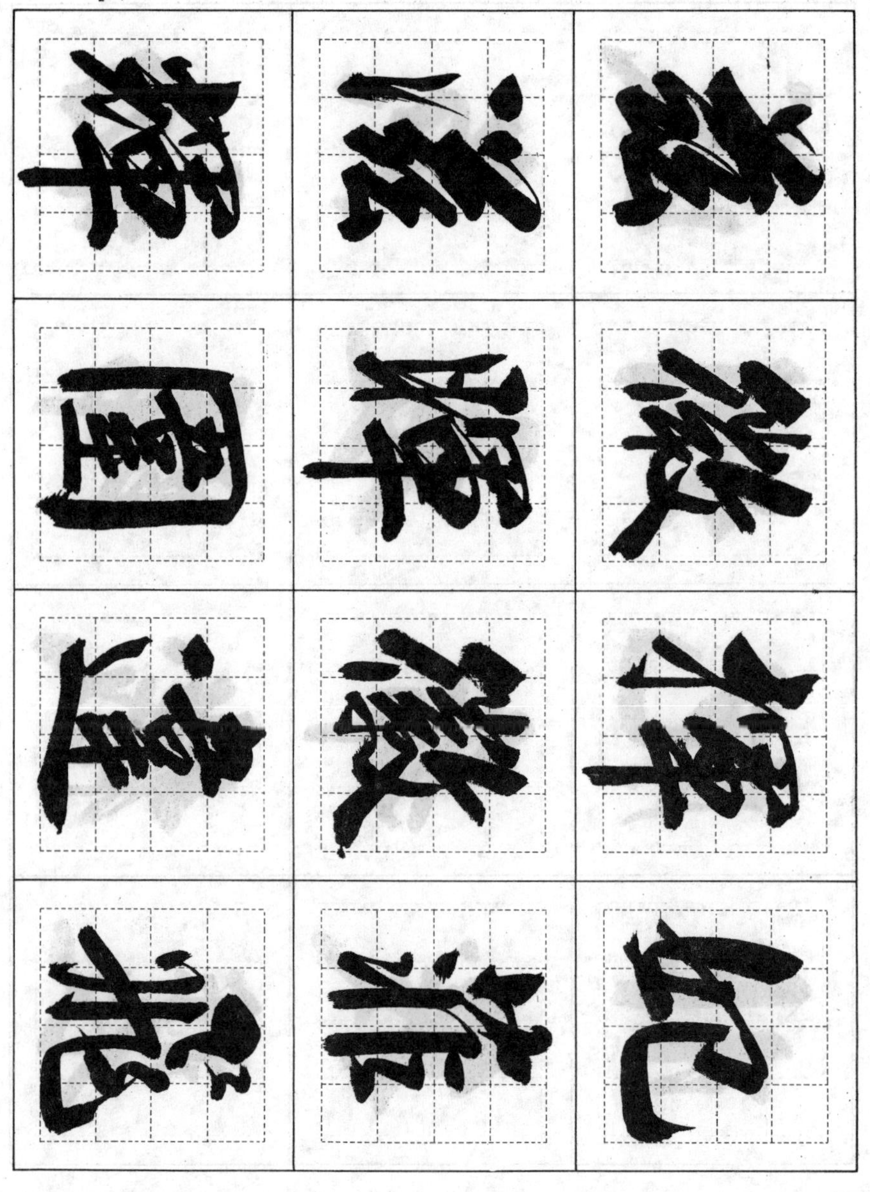

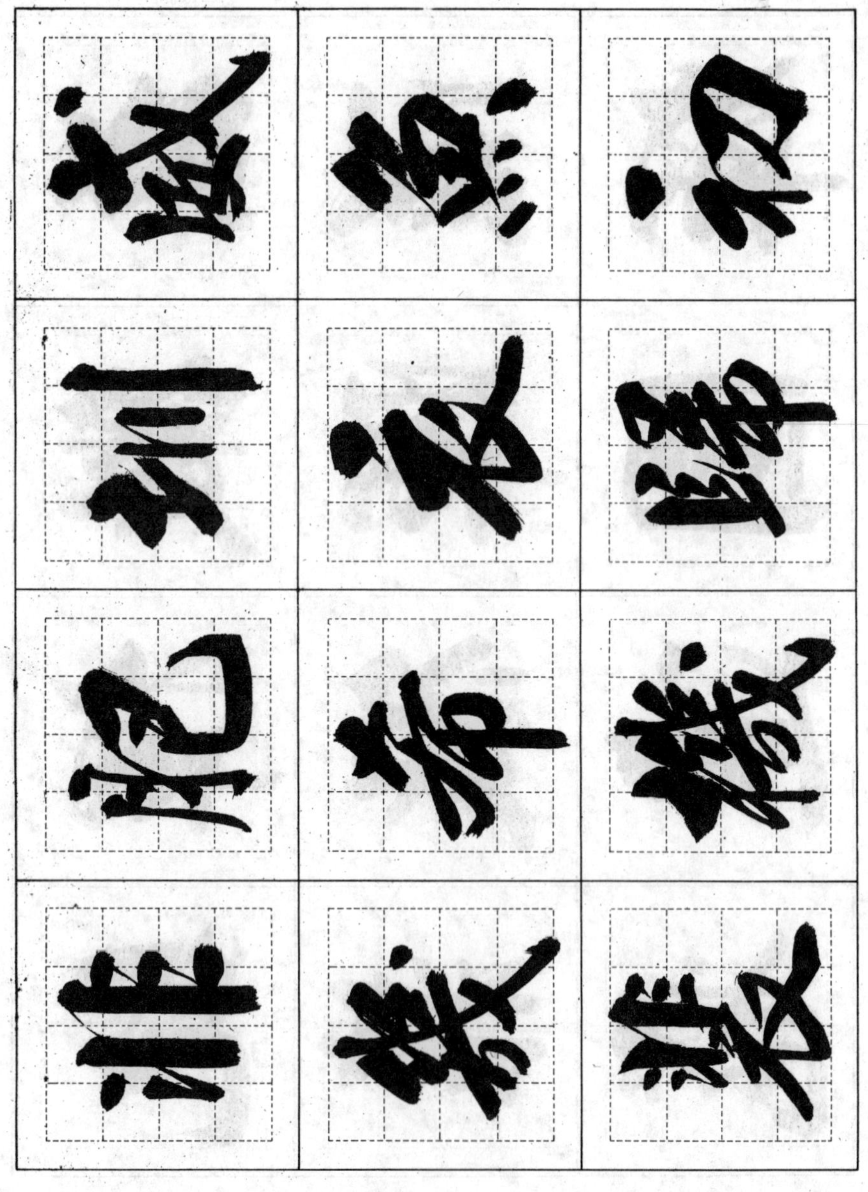

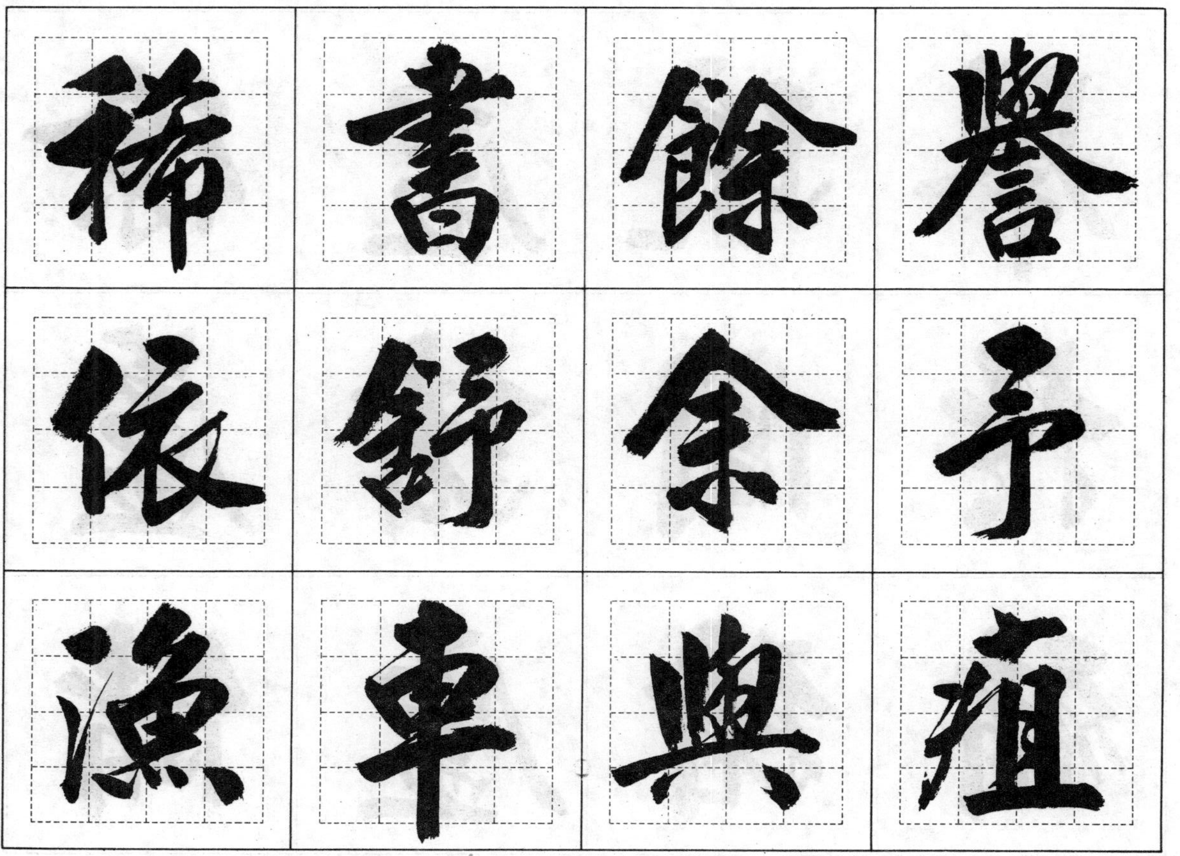
稀 書 餘 譽
依 舒 余 予
漁 車 輿 殖

舉 疏 虛 徐
於 閭 諸 蘆
豬 猪 廬 儲

巫
于
汙
娛
毋
無
屠
寘
愚
除
滅
如

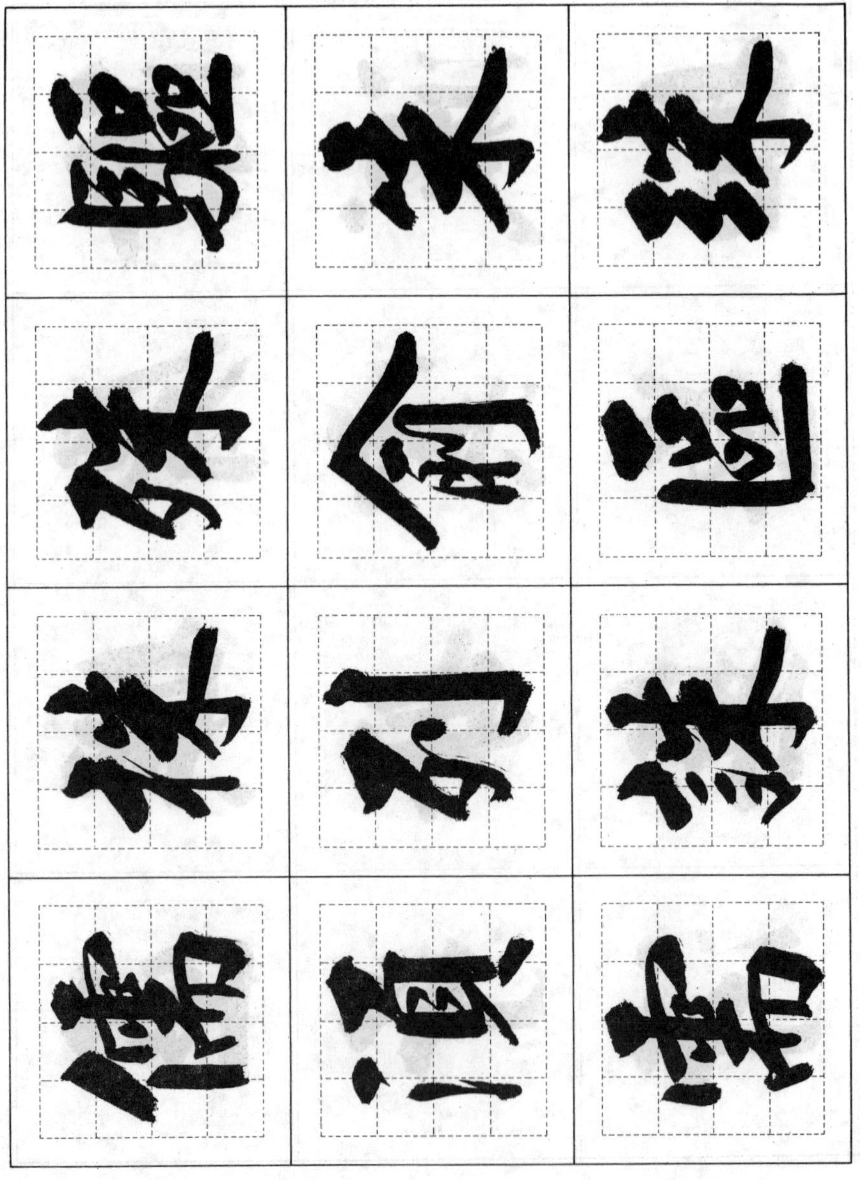

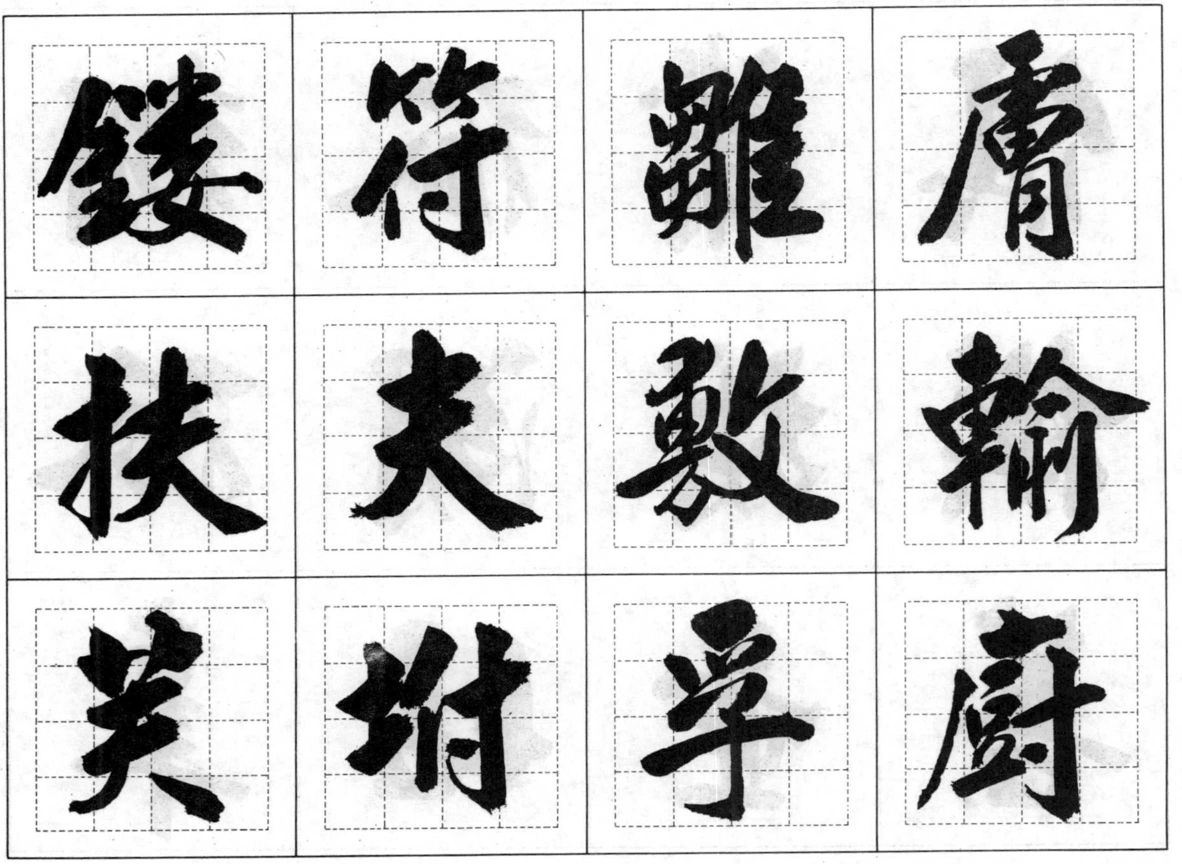
膚
輸
廚
雛
敷
孚
符
夫
坿
鏤
扶
芙

鋪
黎
齊
鹵
枯
都
烏
惡
酥
蘇
穌
餔

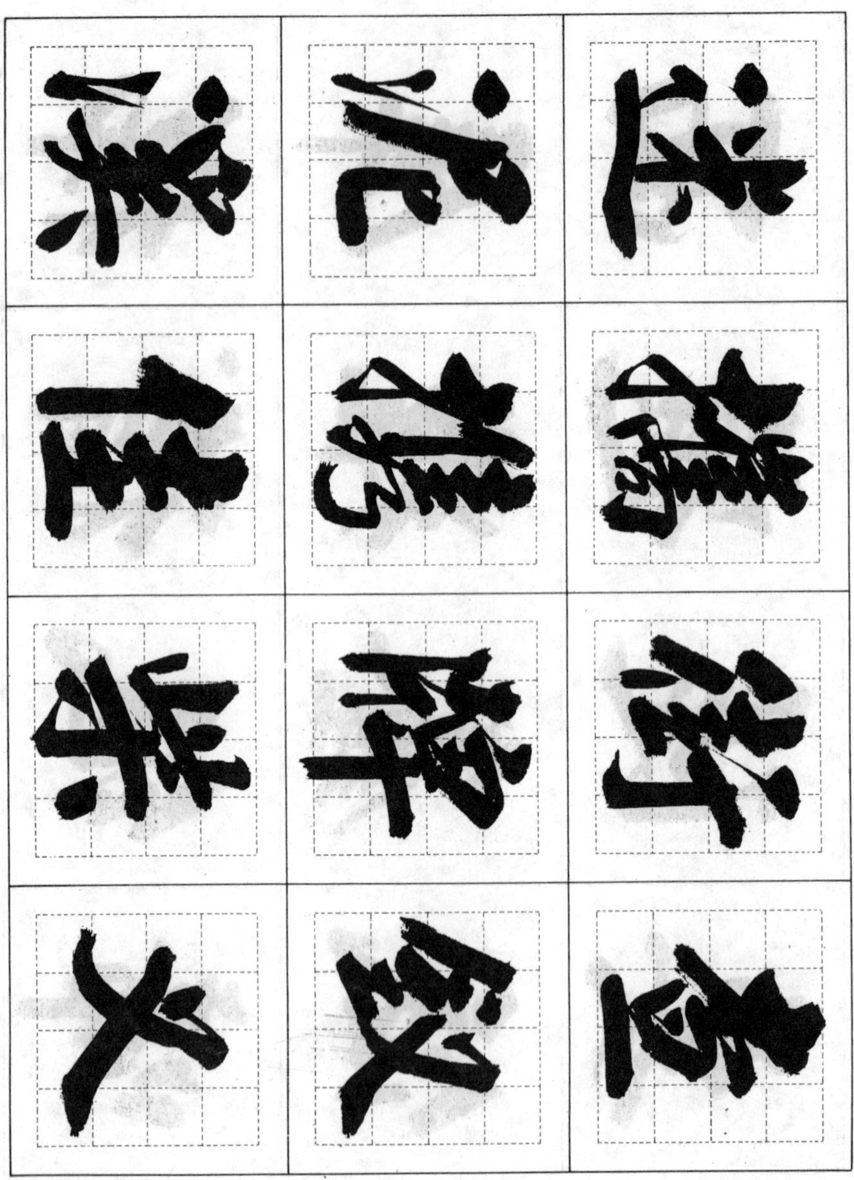

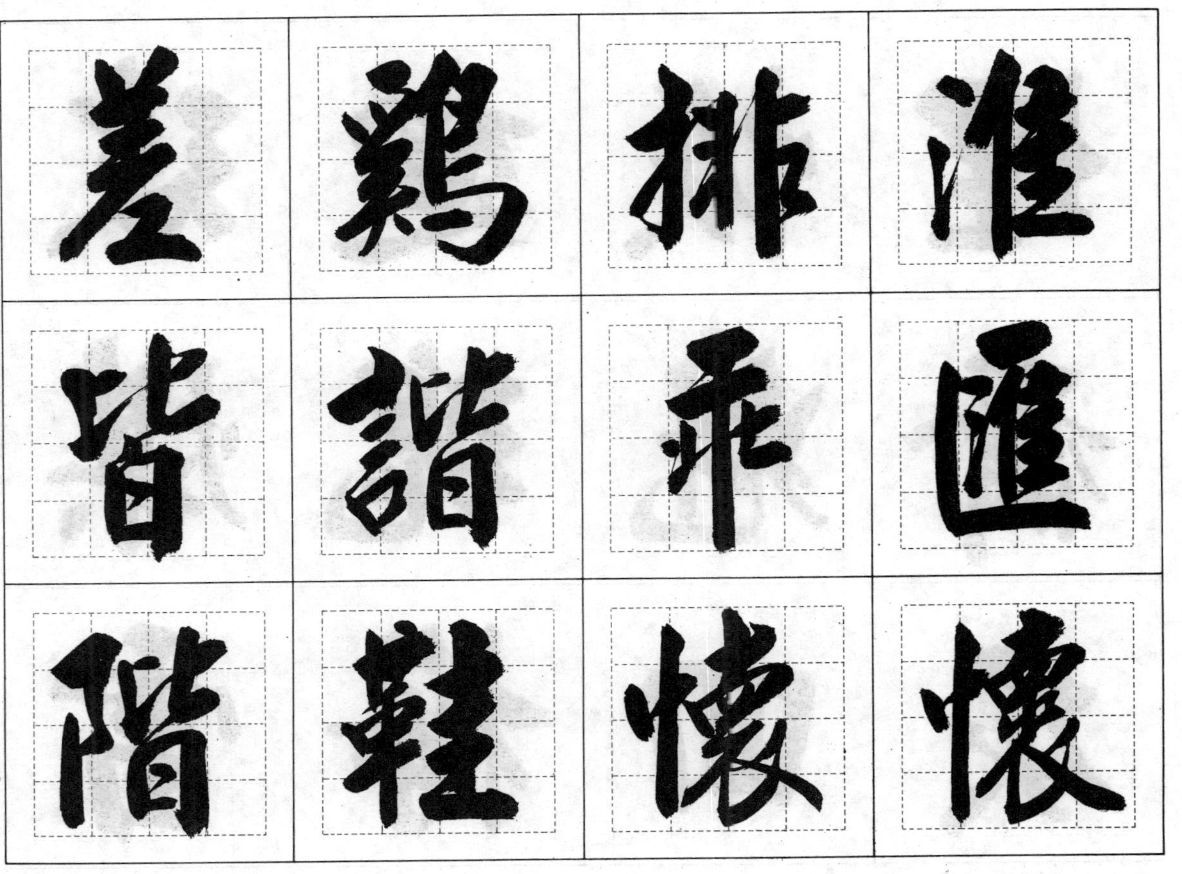
淮匯懷
排乖懷
鷄諧鞋
差皆階

埋 恢 迴 致
齋 魁 瑰 煤
灰 田 梅 雷

哀臺裁
盂袜開
綺培杯
崔堆

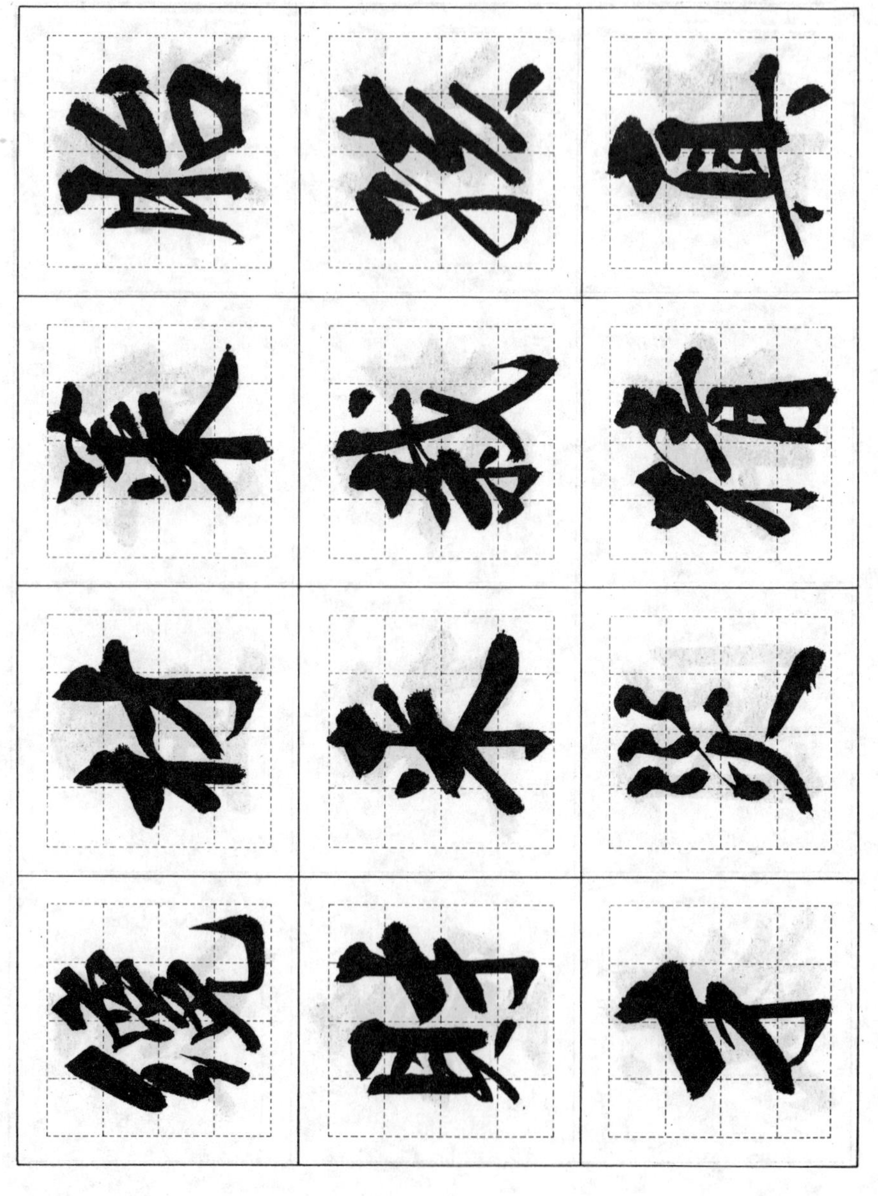

薪
辛
晨
姻
新
辰
闺
埃
菌
甄
纳
唇

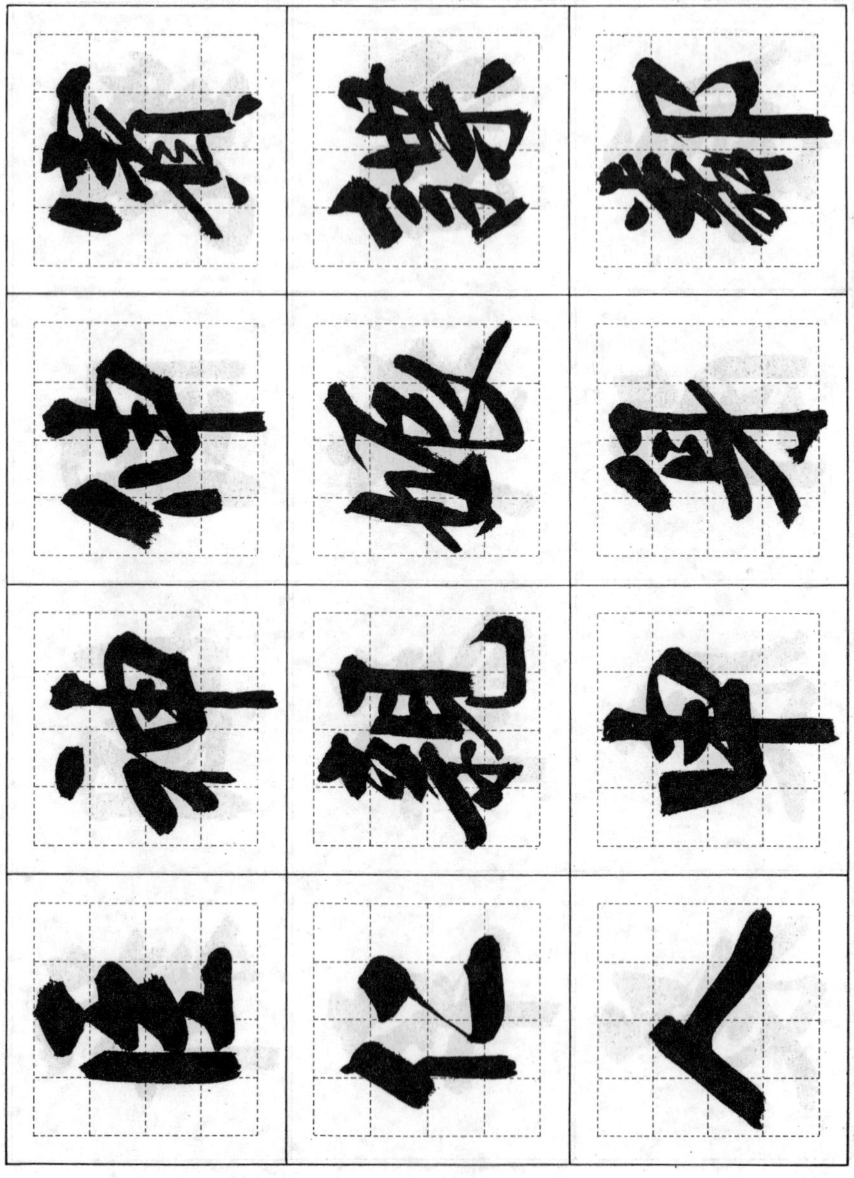

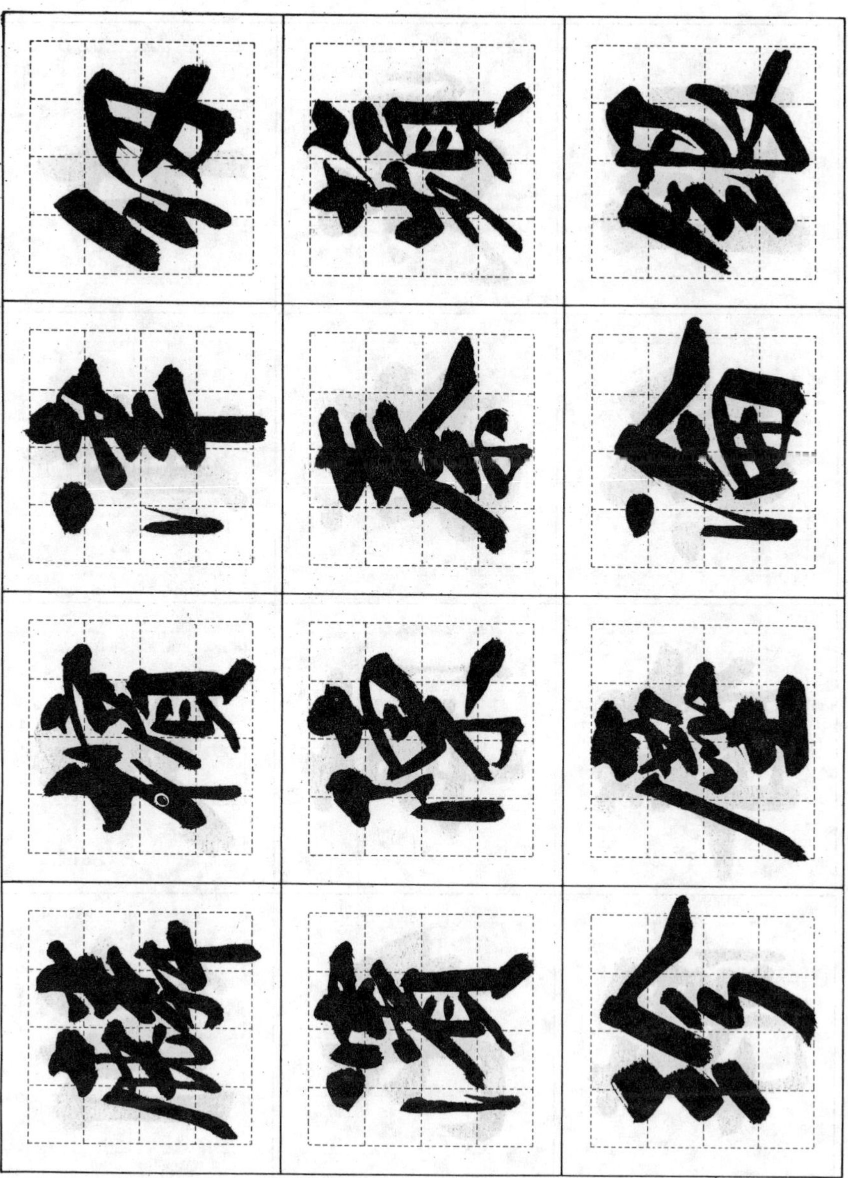

巾 貧 医 詢
峨 術 淳 纯
閩 份 椿 醇

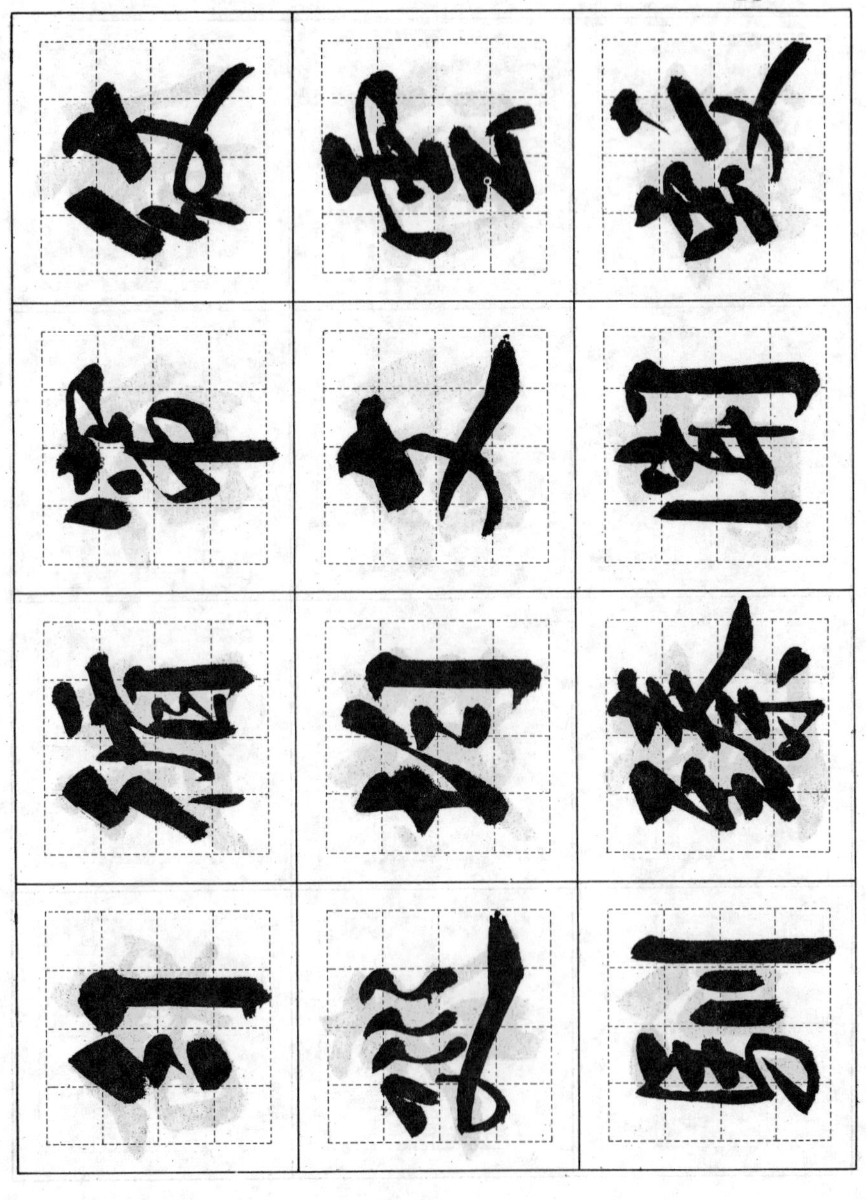

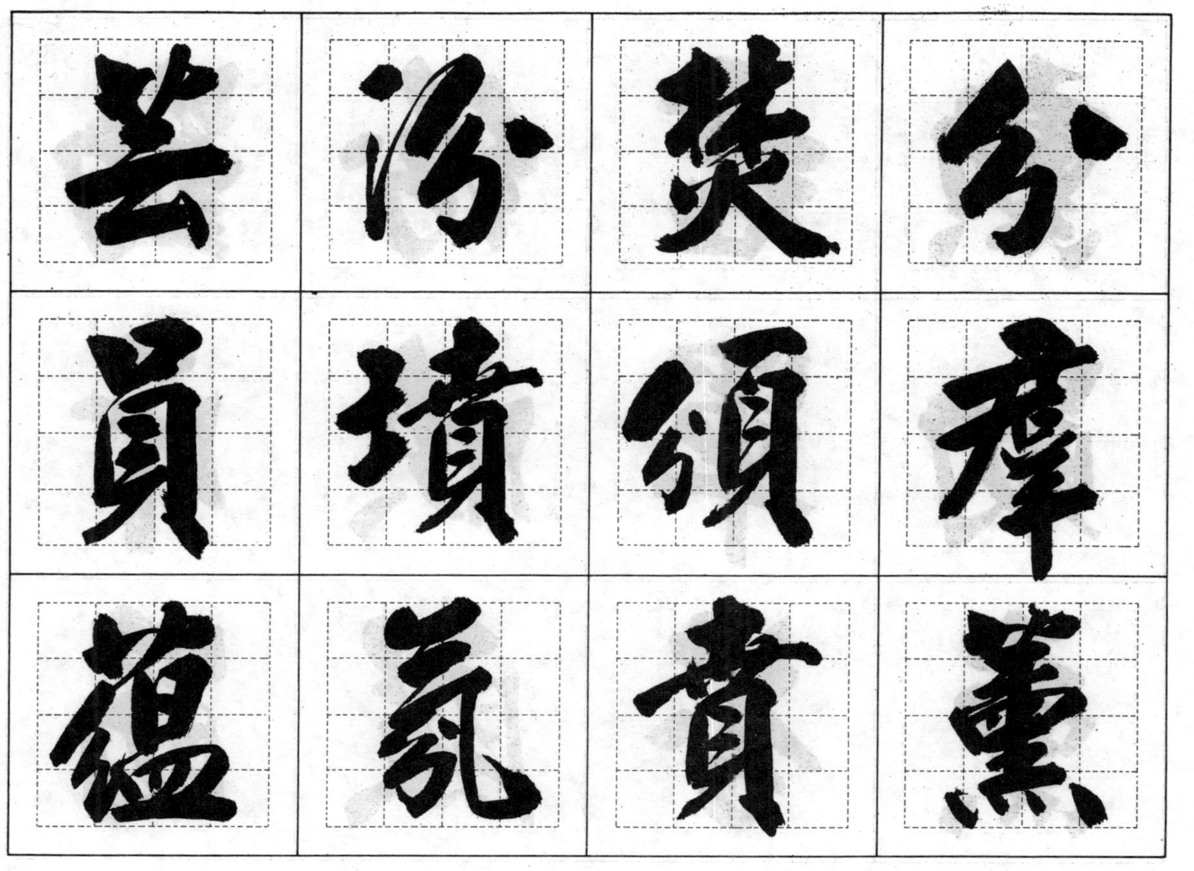
分
摩
薰
焚
須
貴
汾
墳
氳
芸
員
蘊

勤
斤
筋
紛
欣
殷
君
軍
芬
勳
勛
熏

元 源 粧 繁
原 園 須 樊
袁 援 番 蕃

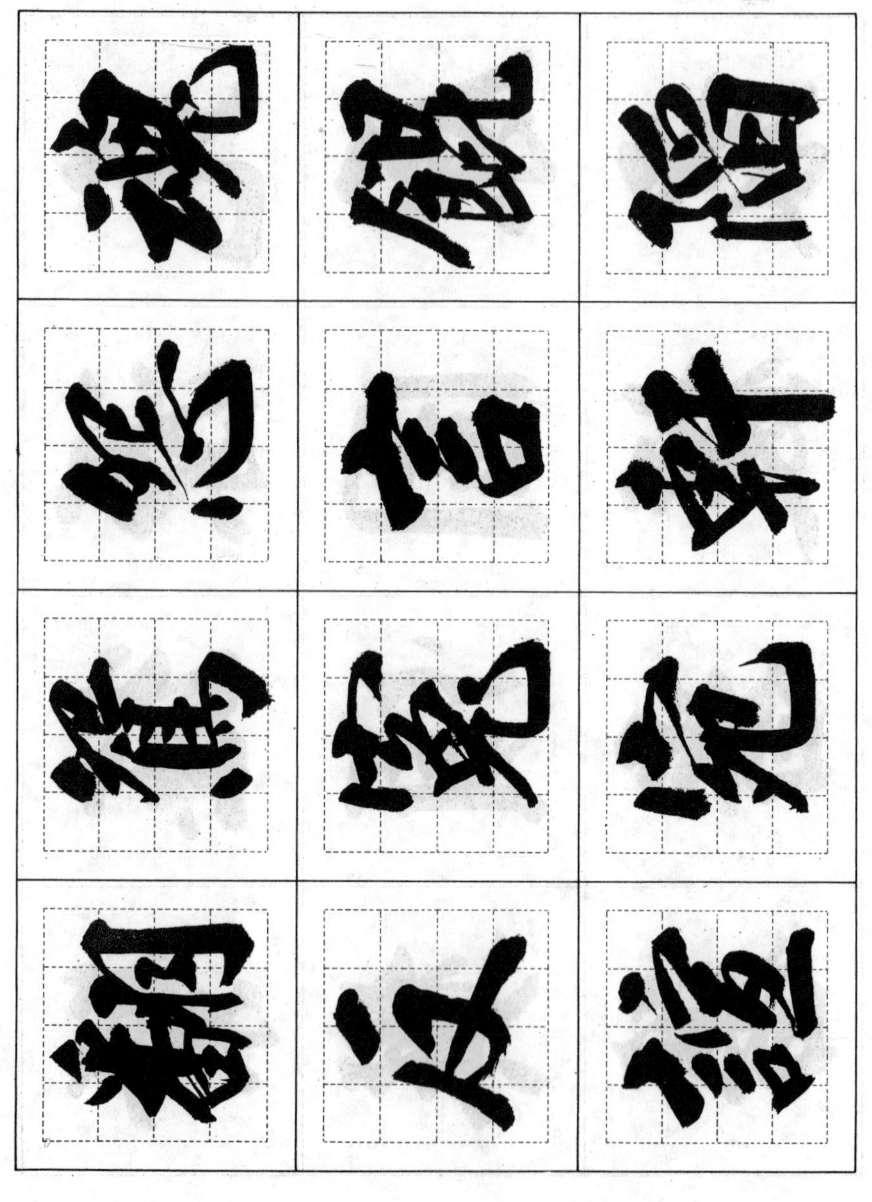

盆奔坤
存敦村
門孫尊
昆鯤温

汗單丹
寒韓翰
根恩吞
昏婚痕

千乾竿
但殘胆
攤壇殫
安難餐

肝
看
究
酸
蘭
刊
丸
瘦
欄
桓
端
園

官
冠
寬
般
觀
饗
鑽
饅
朗
歡
盤
曼

刪灣班姦
閩還蠻奸
彎環顏攀

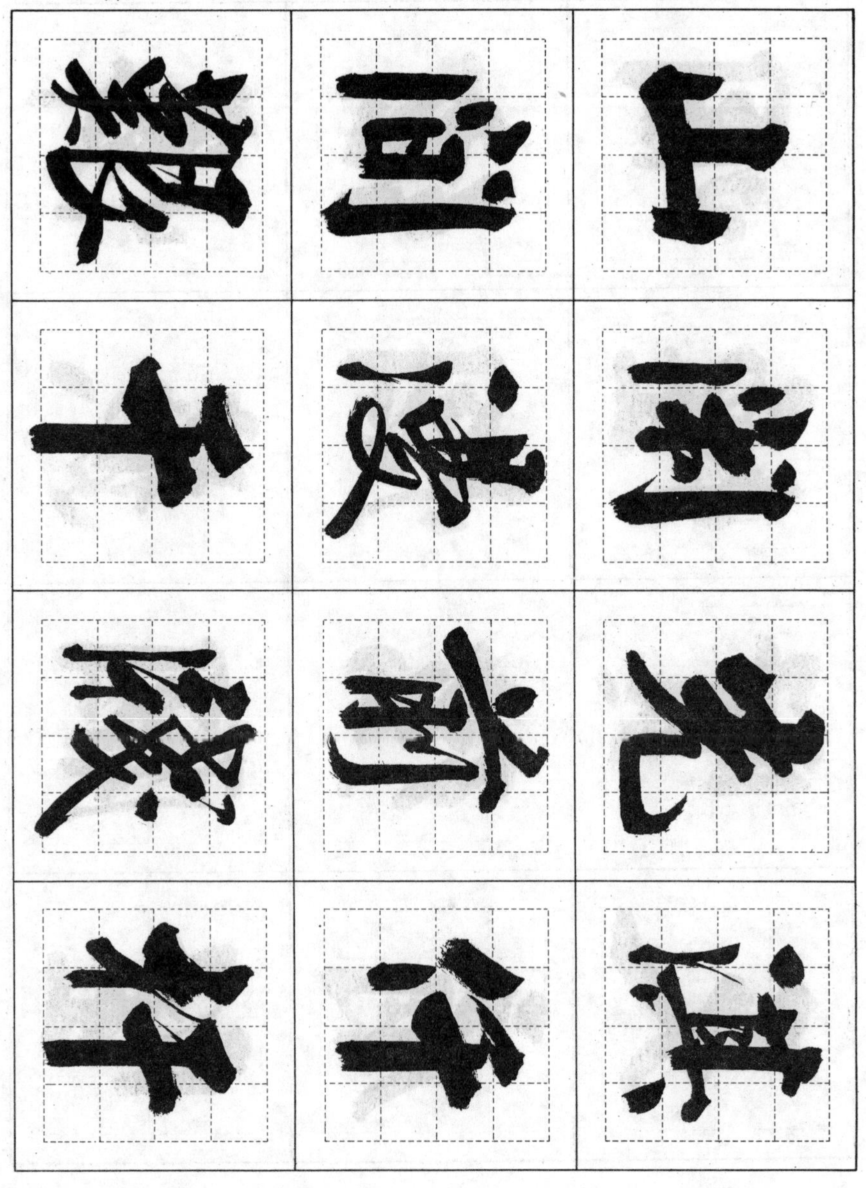

天賢煙咽
肩弦烟絃
堅胭燕憐

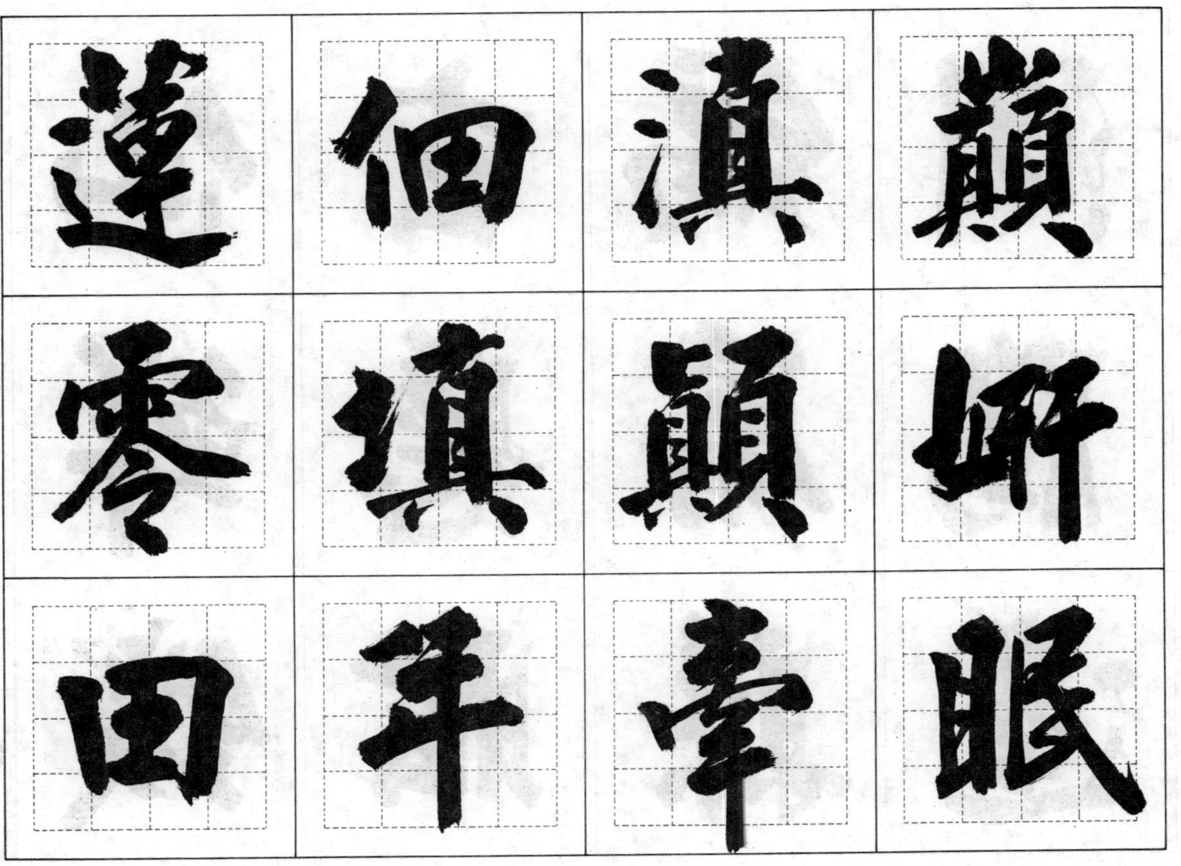
巔
岍
眠
滇
顛
幸
佃
填
年
蓮
零
田

仙鮮錢
玄懸眩
編篇縣
淵鵑邊

鏈
蟬
纏
筵
潺
扇
燃
延
甄
遷
煎
然

連 翩 棉 泉
聯 便 全 宣
偏 綿 淞 鐫

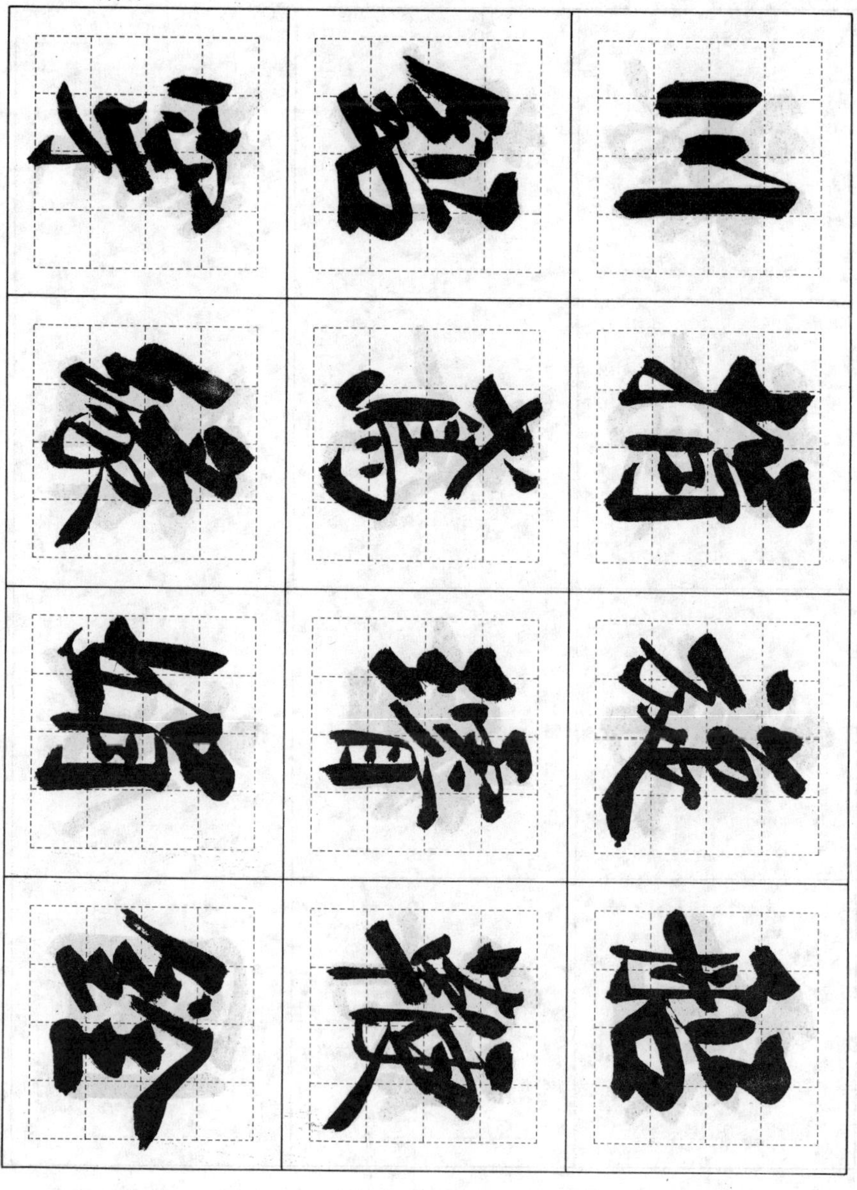

痊 專 騫 椽
磚 栓 拳 傳
圓 虔 權 孿

條
跳
調
雕
彫
迢
蕭
刁
凋
簫
挑
貂

廖
僚
寮
寥
料
撩
邀
聊
遼
梟
澆
釗

硝超朝
逍绡錆
宵消霄
堯幺垚

燒 摇 杓
窯 陶 瓢
姚 瑶 標 要

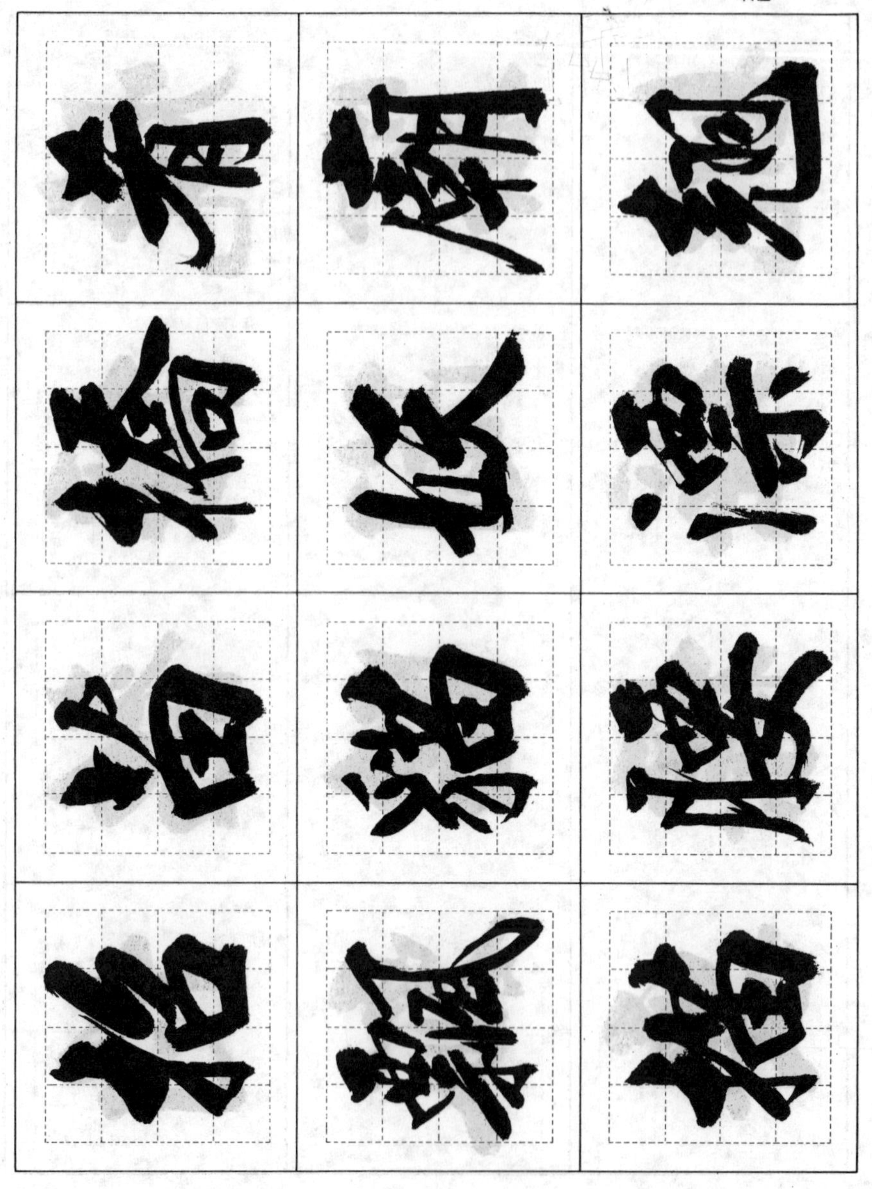

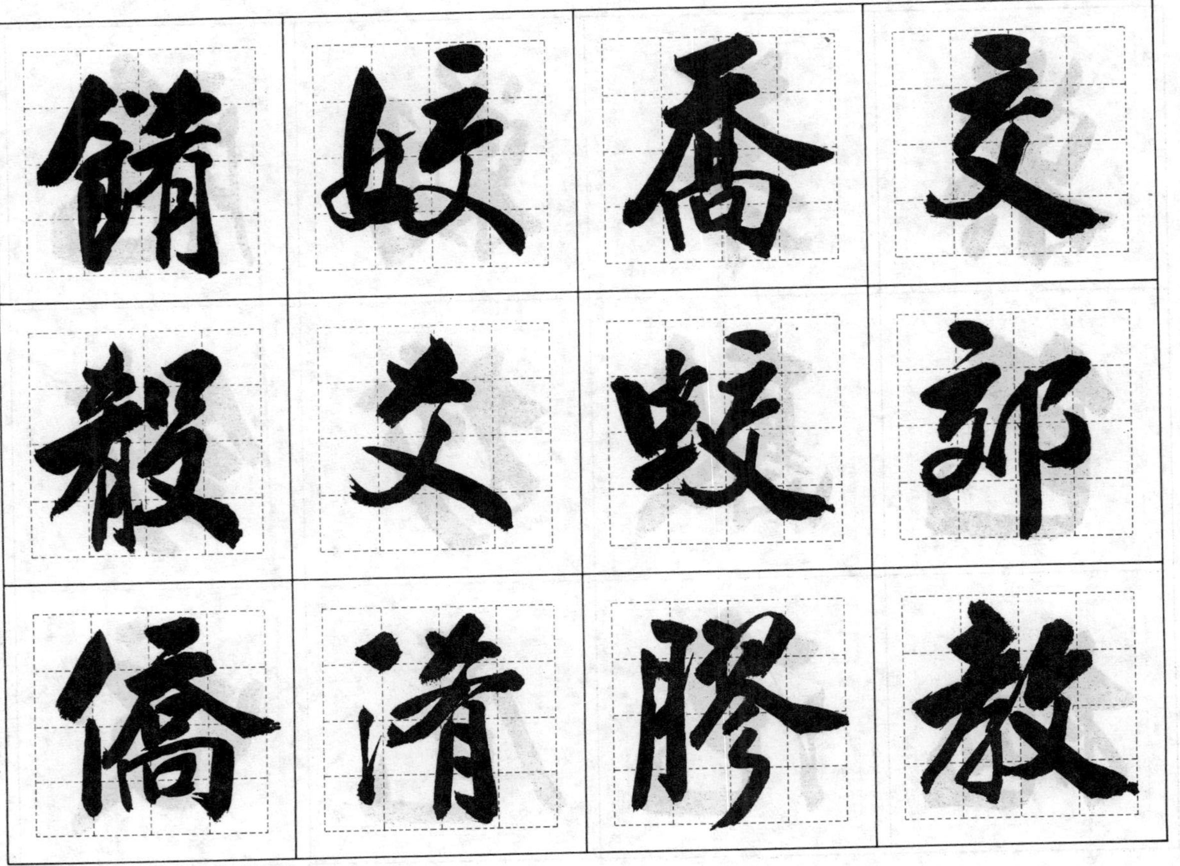
文
郊
教
喬
蛟
膠
姣
交
淆
餚
殽
僑

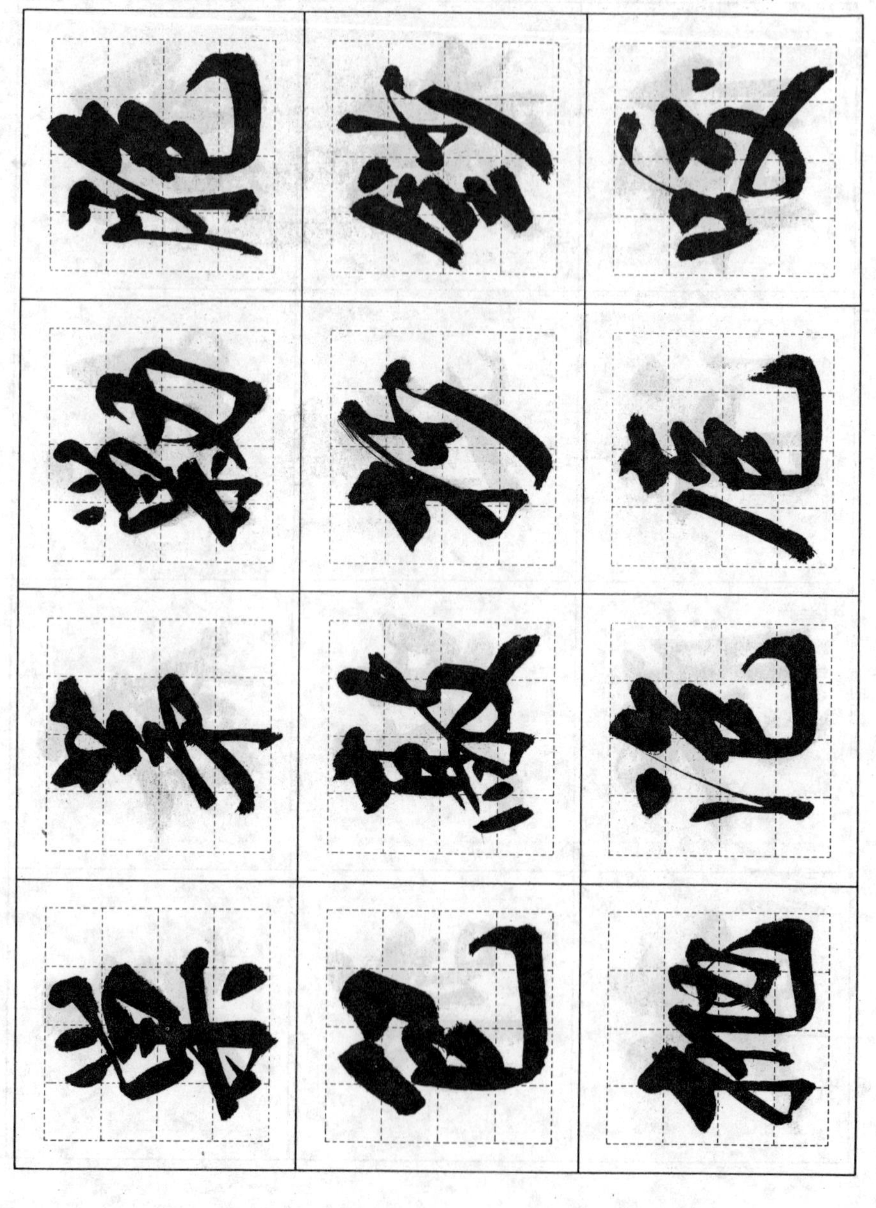

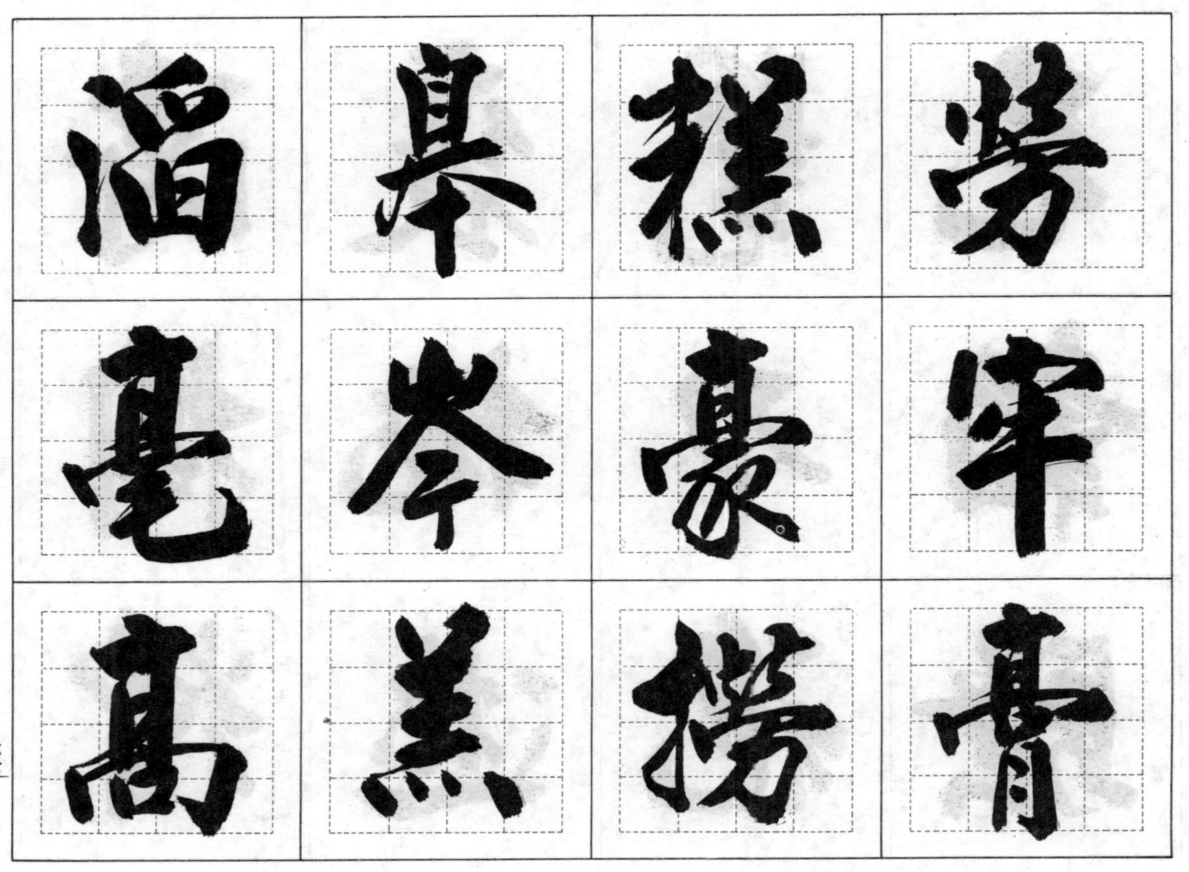

哥
蹉
多
操
歌
柯
熬
曹
鰲
槽
蜀
遨

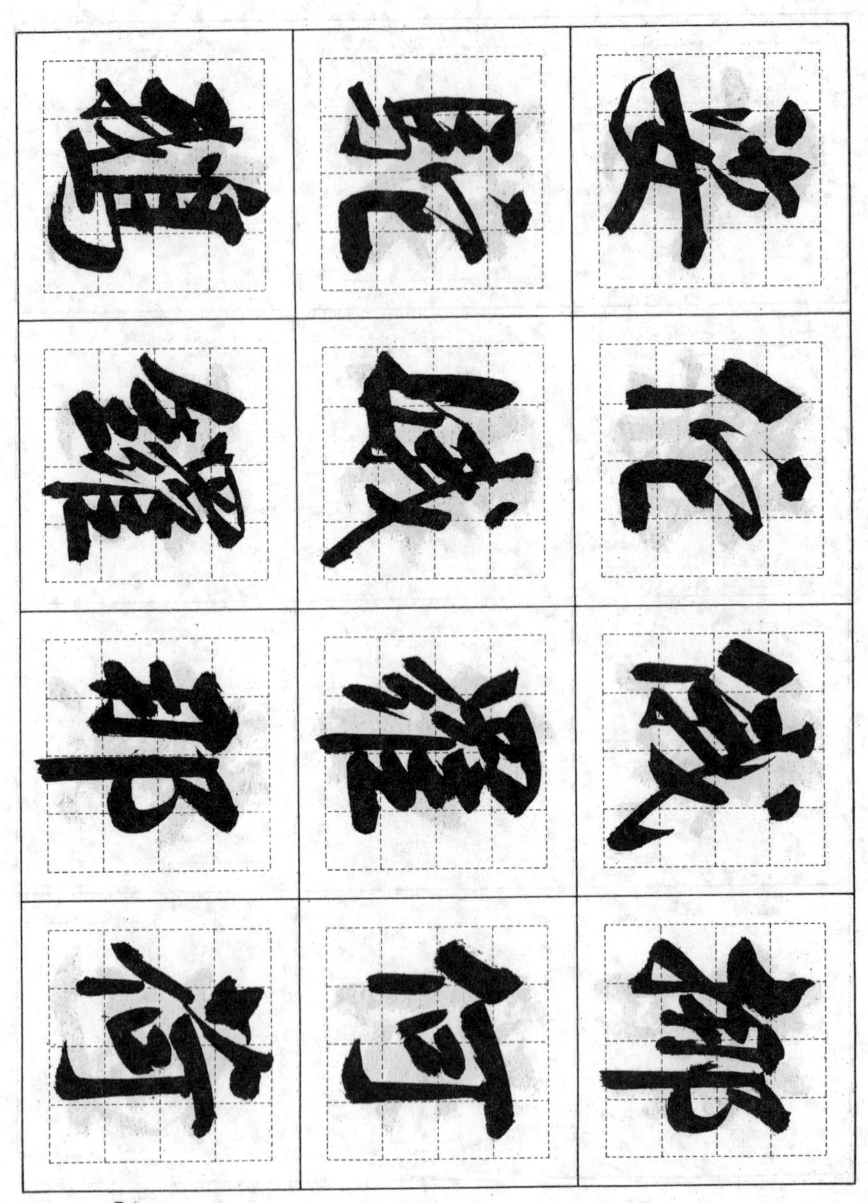

科窠蝌
坡和禾
磨頗玻
魔波鸝

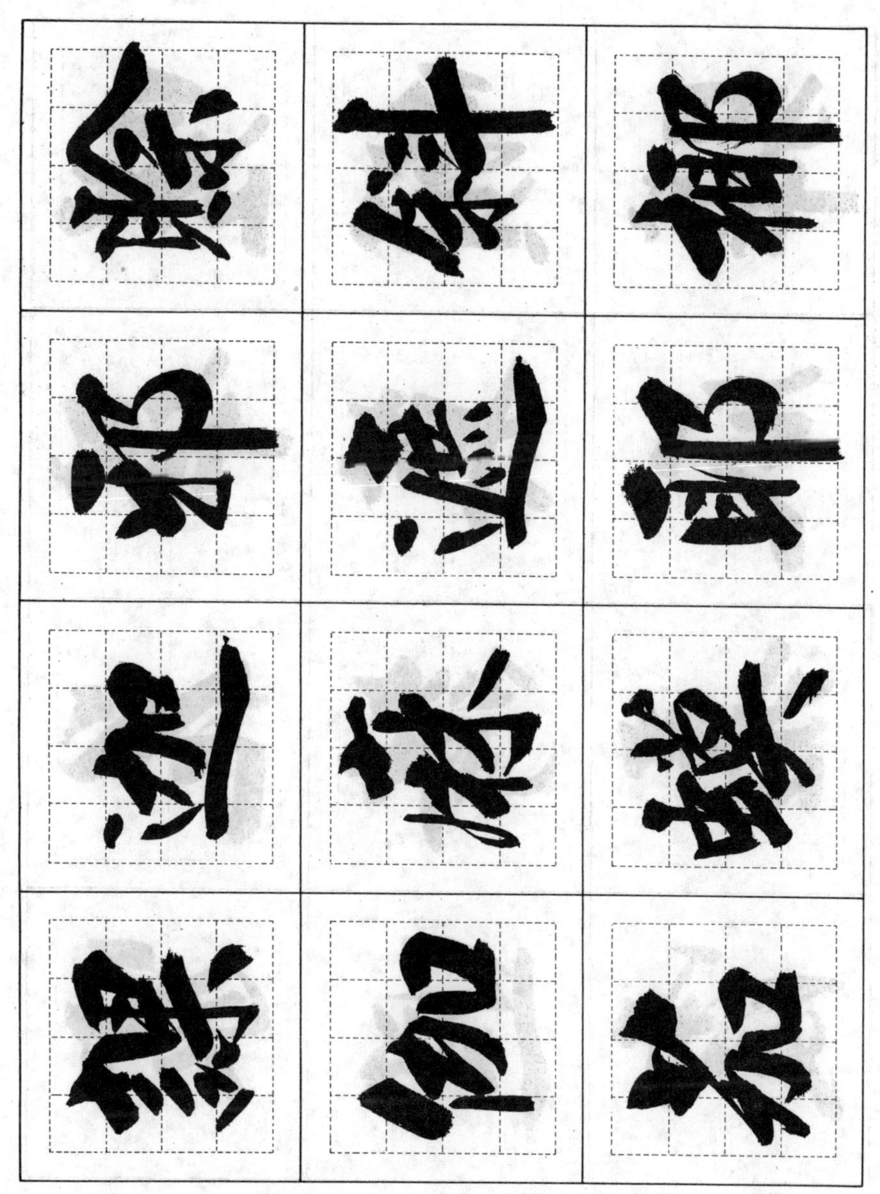

嗟 華 花 家
嚩 莫 誇 遐
驊 爪 嘉 霞

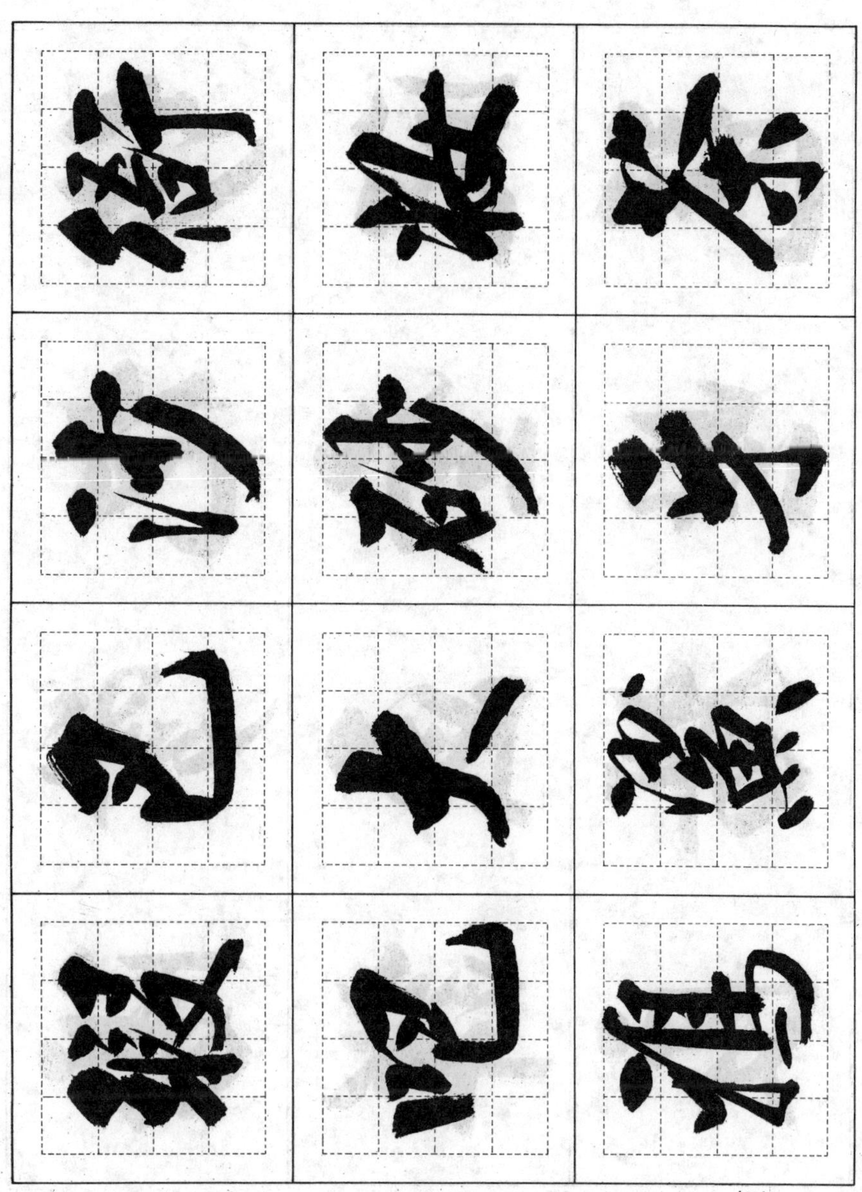

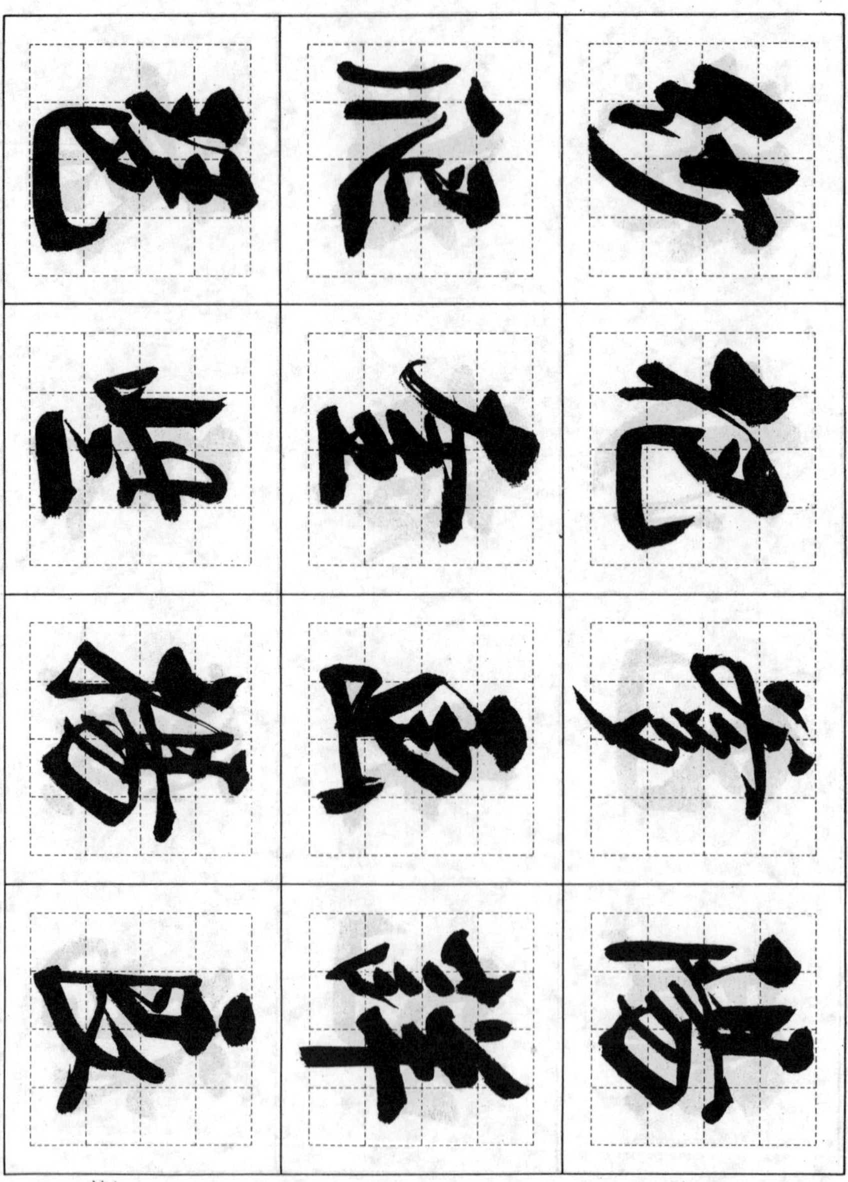

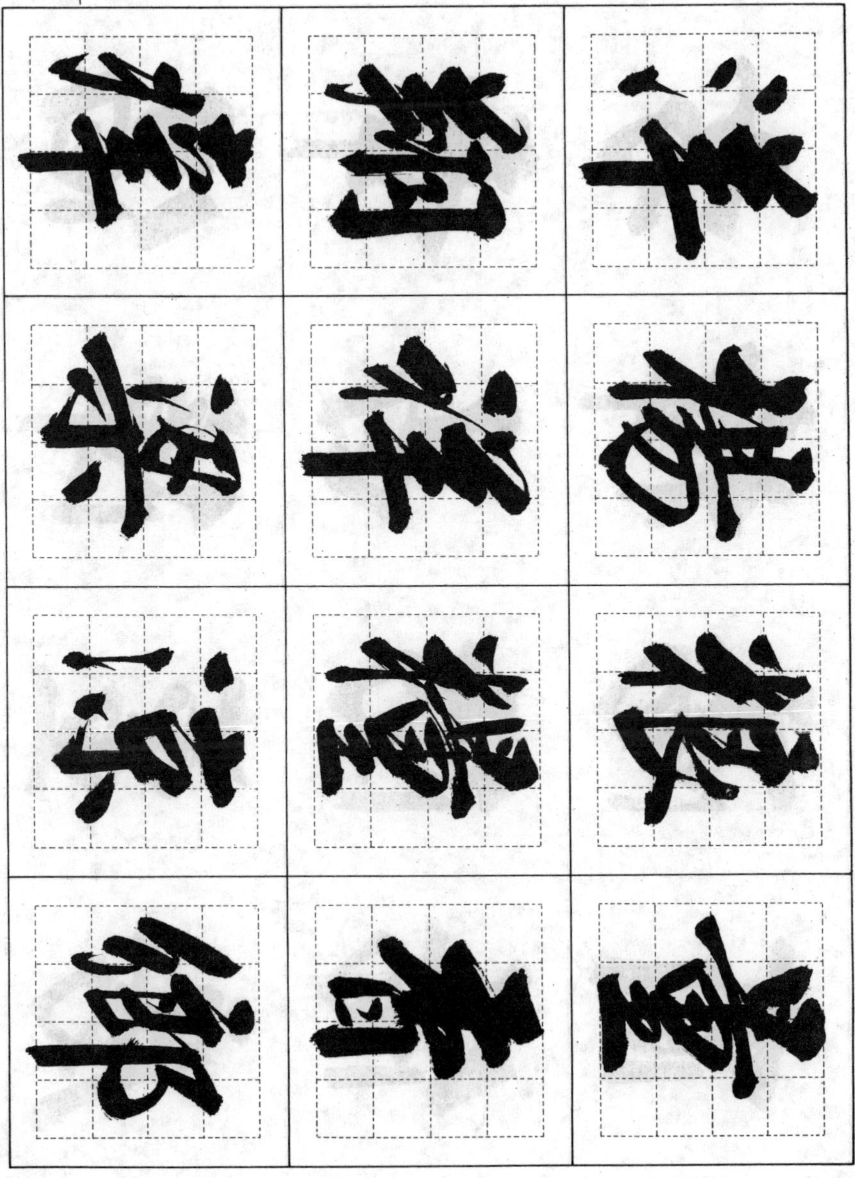

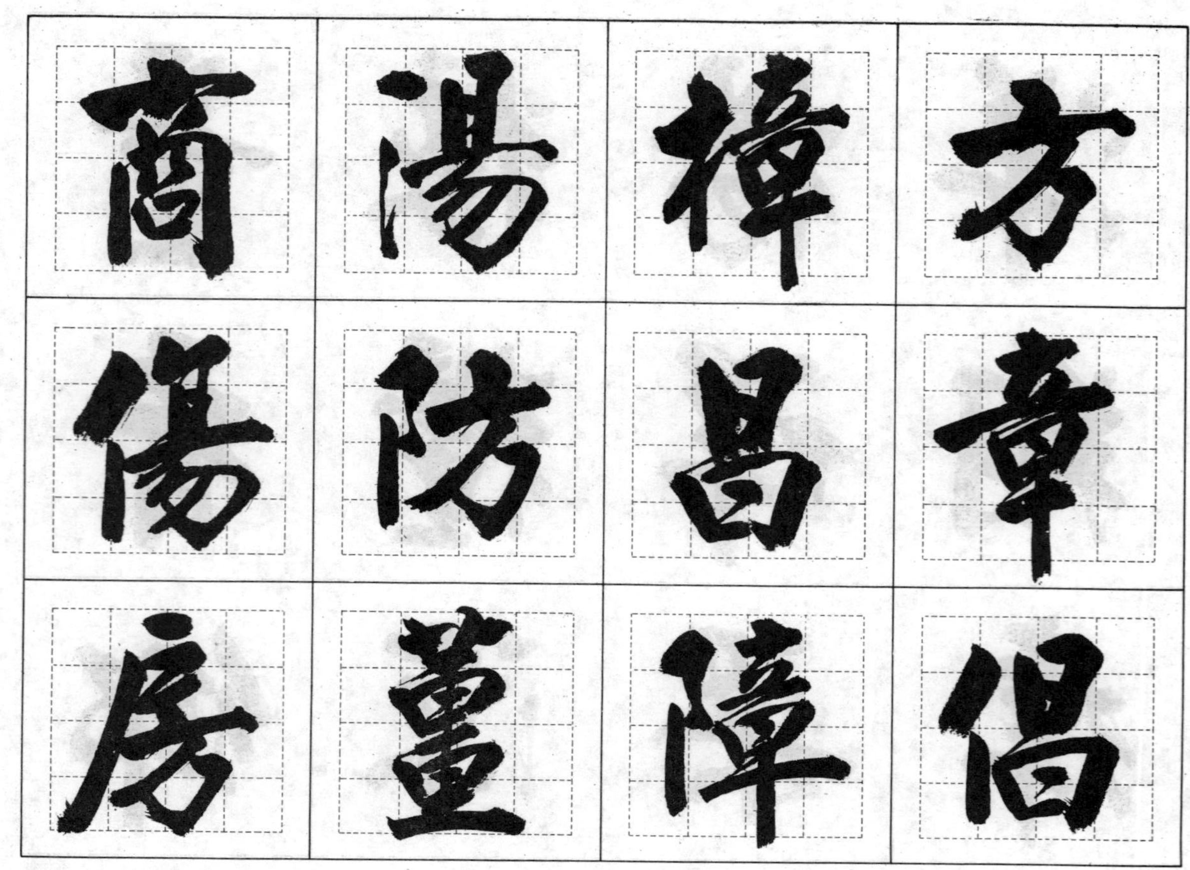
商湯樟方
傷防昌章
房薑障倡

繮 姜 攘 箱
長 場 湘 芒
腸 張 將 創

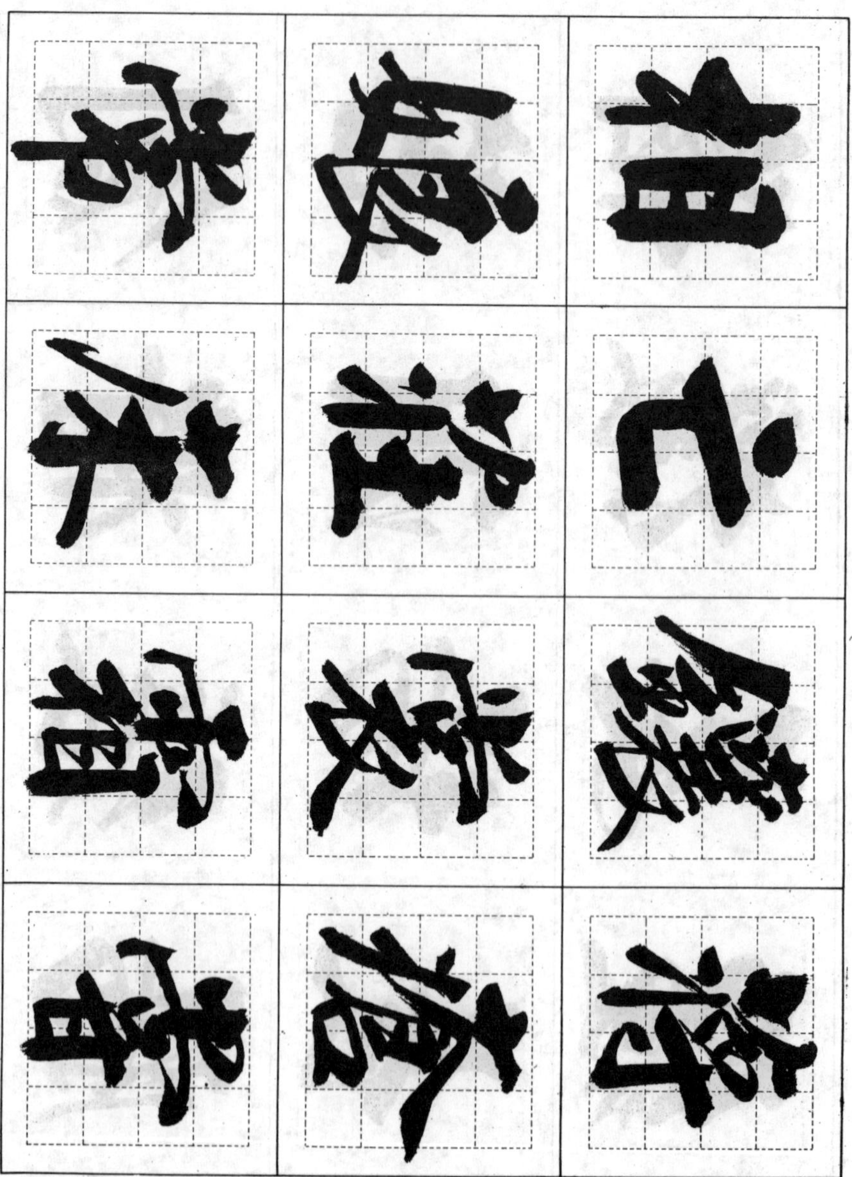

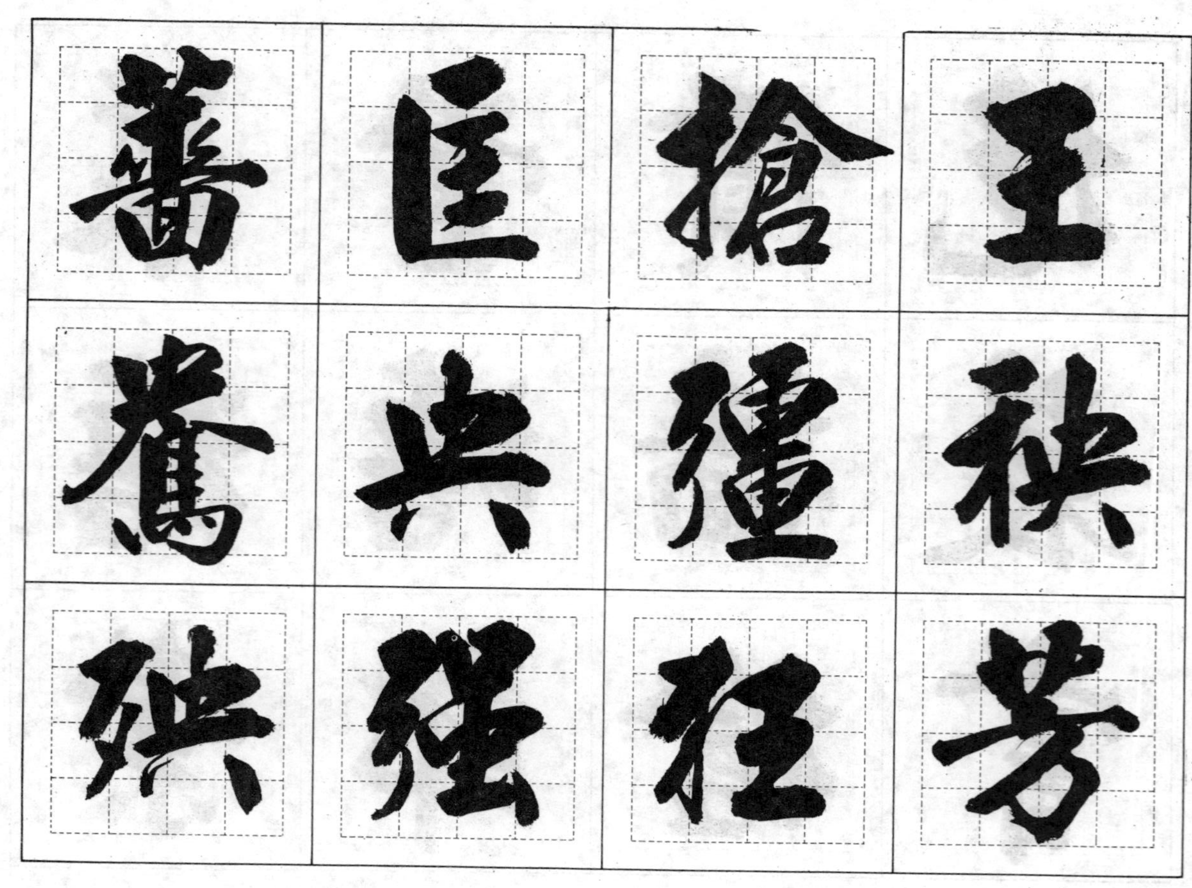

黃劉桑
蒼岡光
狼當倉
唐廊珮

鋼 喪 皇 橫
康 綱 璜 胱
崗 荒 惶 汪

幫
庚
更
藏
囊
傍
簧
凰
杭
行
遑
潢

彭睛榜
盲蝗澎
羹坑粳
亭昂藏

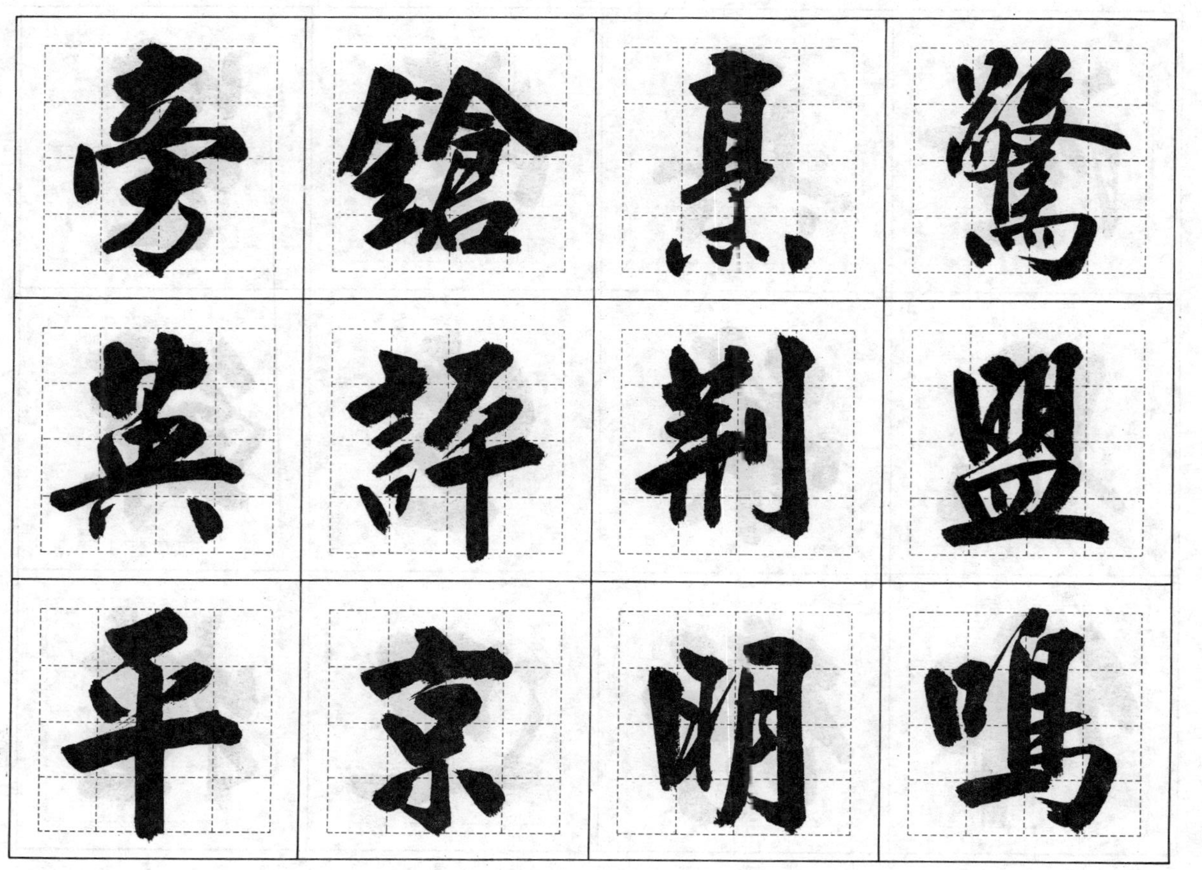
鷺盟鳴
梟荊明
鎗評京
旁英平

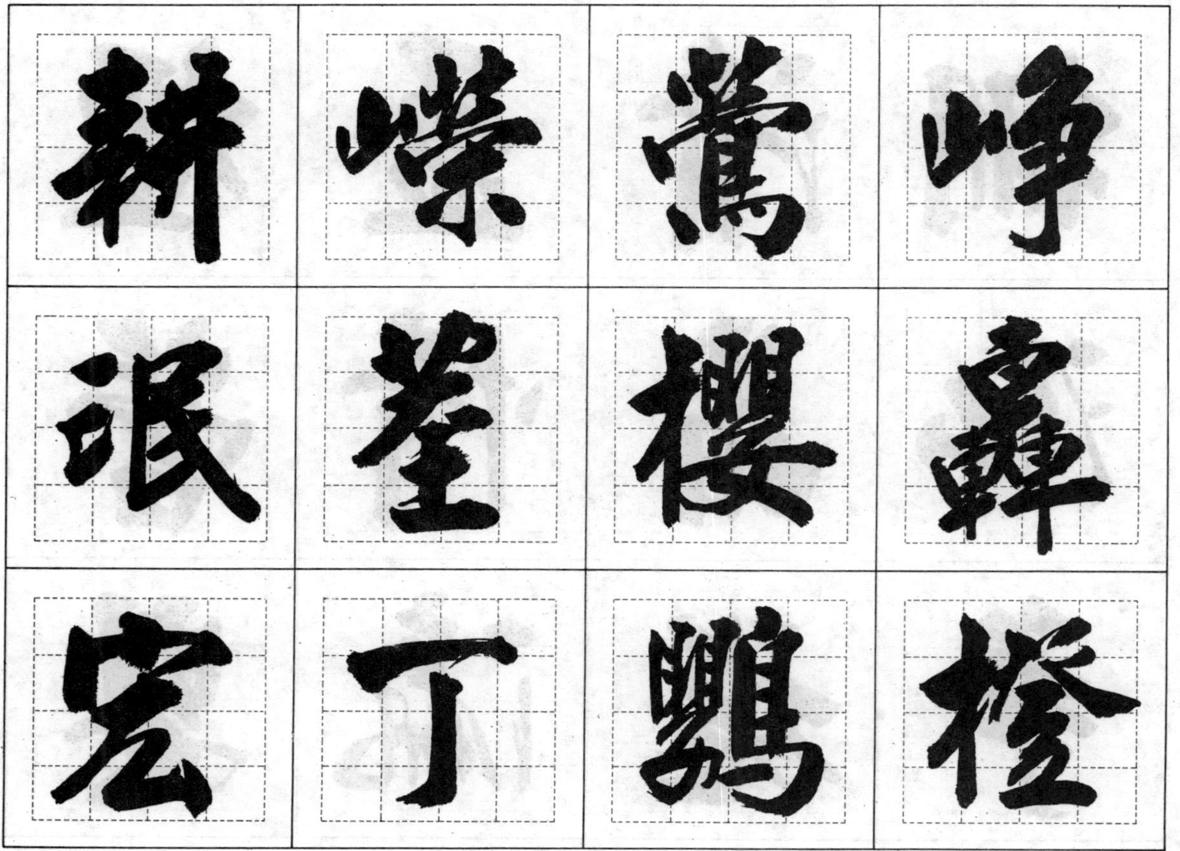
耕 嶸 鶯 崢
珉 荃 櫻 韓
宏 丁 鵬 橙

楹營嬰
盈情瀛
清晶旌
棚泓爭

輕
盛
聲
誠
呈
征
偵
成
城
纓
貞
禎

正 傾 并 青
屏 令 纜 經
法 名 頸 聽

鈴
冥
聽
錦
靈
鴒
停
刑
馨
形
型
庭

呈 廷 苓 玲
逞 亭 伶 瑩
齡 腥 廳 銘

汀
蒸
陵
萍
螢
扃
訂
瓶
町
且
冷
寧

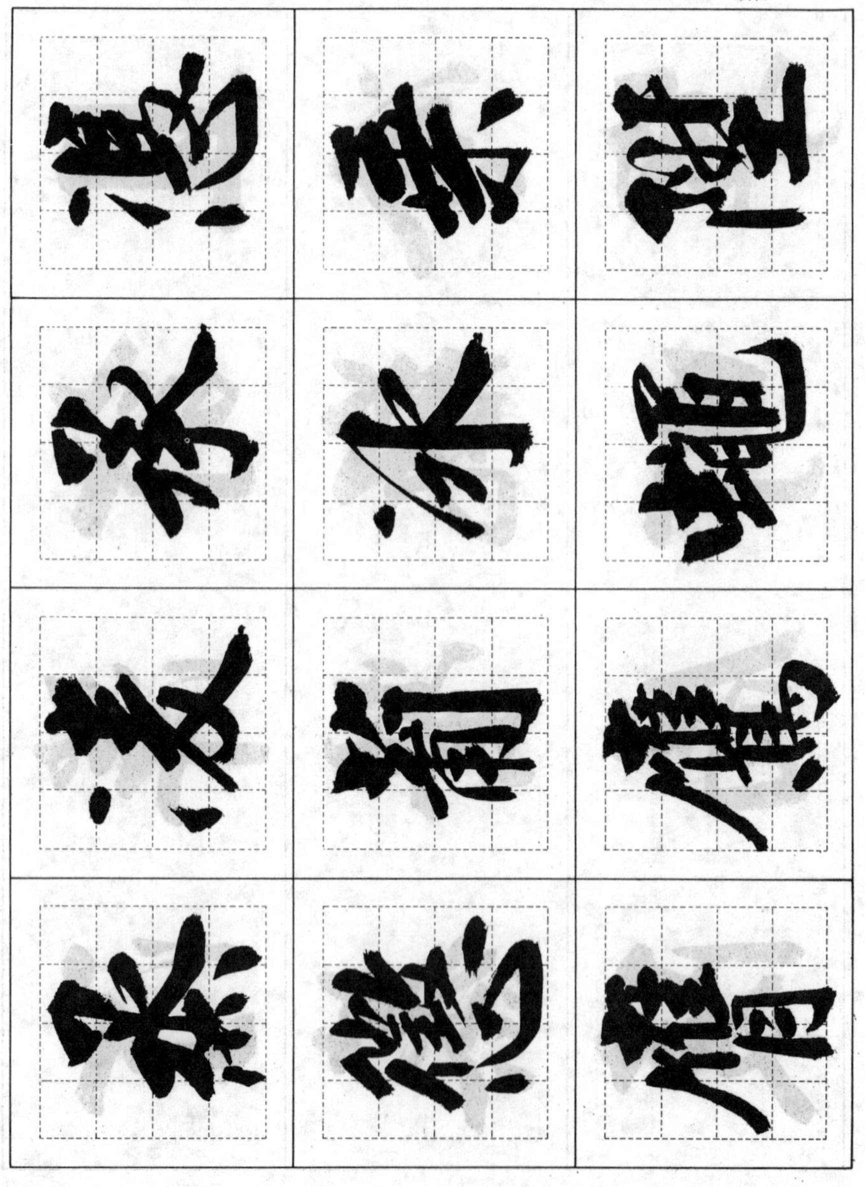

昇 應 號 凝
繩 升 聆 稱
勝 仍 徵 興

登
曾
燈
鵬
僧
崩
層
琪
後
增
朋
弘

憂
留
流
藤
恆
郵
騰
謄
優
燴
能
肱

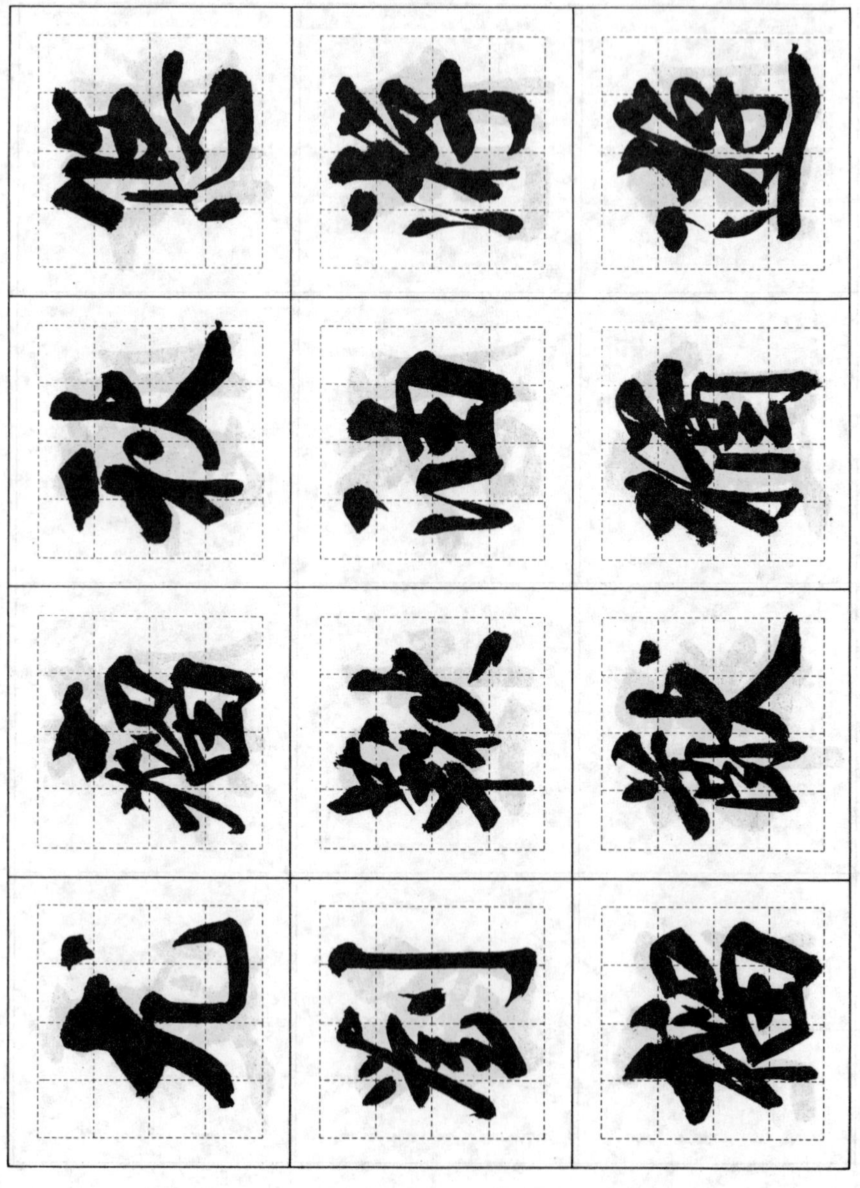

由 脩 抽 舟
牛 羞 洲 柔
酋 修 周 收

年
眸
矛
求
浮
謀
儔
播
裘
囚
躊
稠

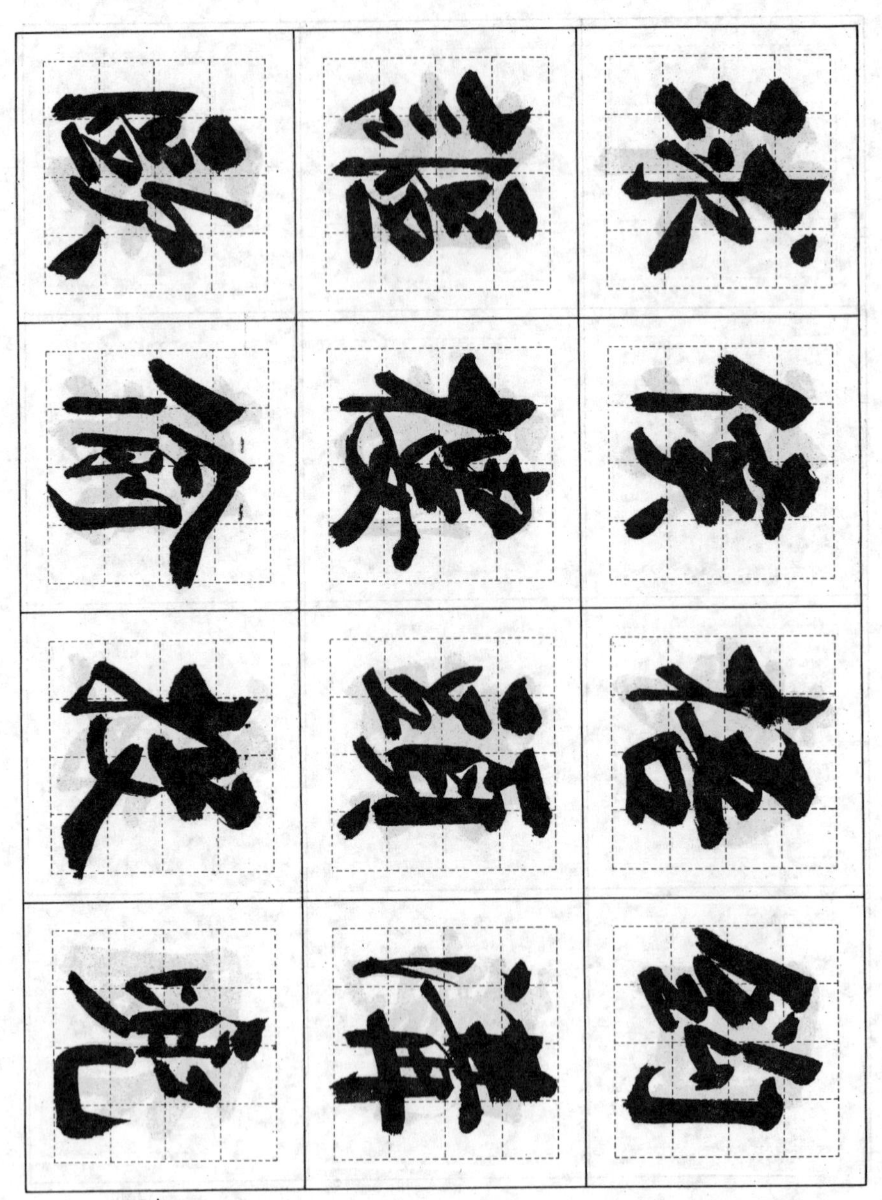

勾 鷗 喉 繆
枸 猴 甌 侵
婁 幽 彪 尋

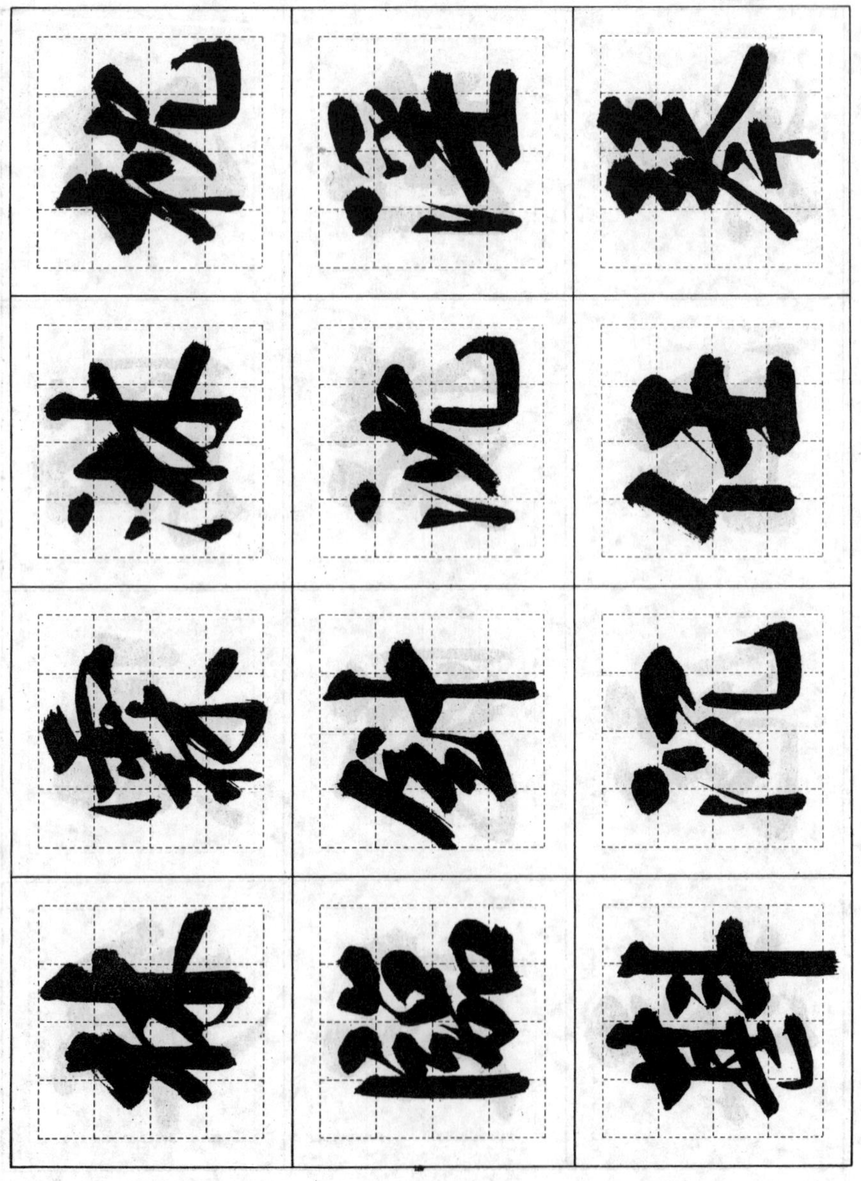

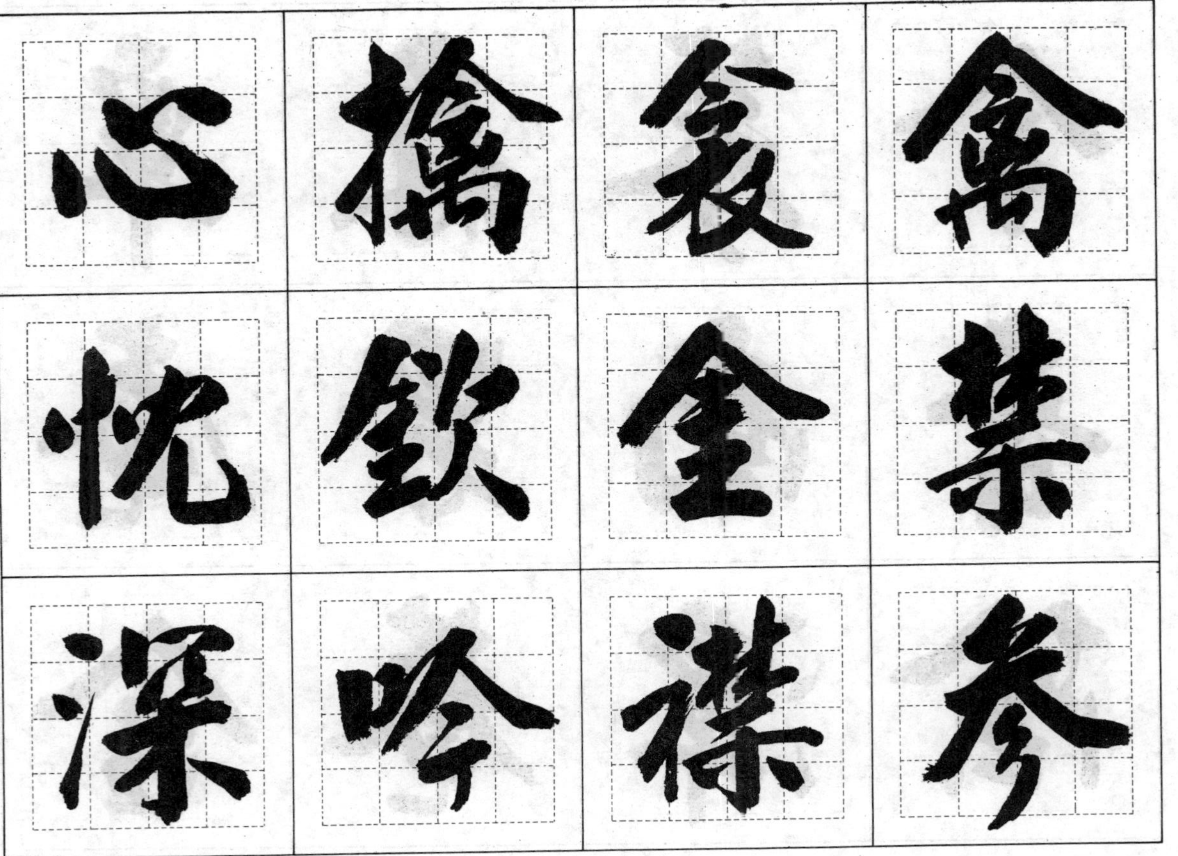
心 擒 衾 禽
忱 欽 金 禁
深 吟 襟 参

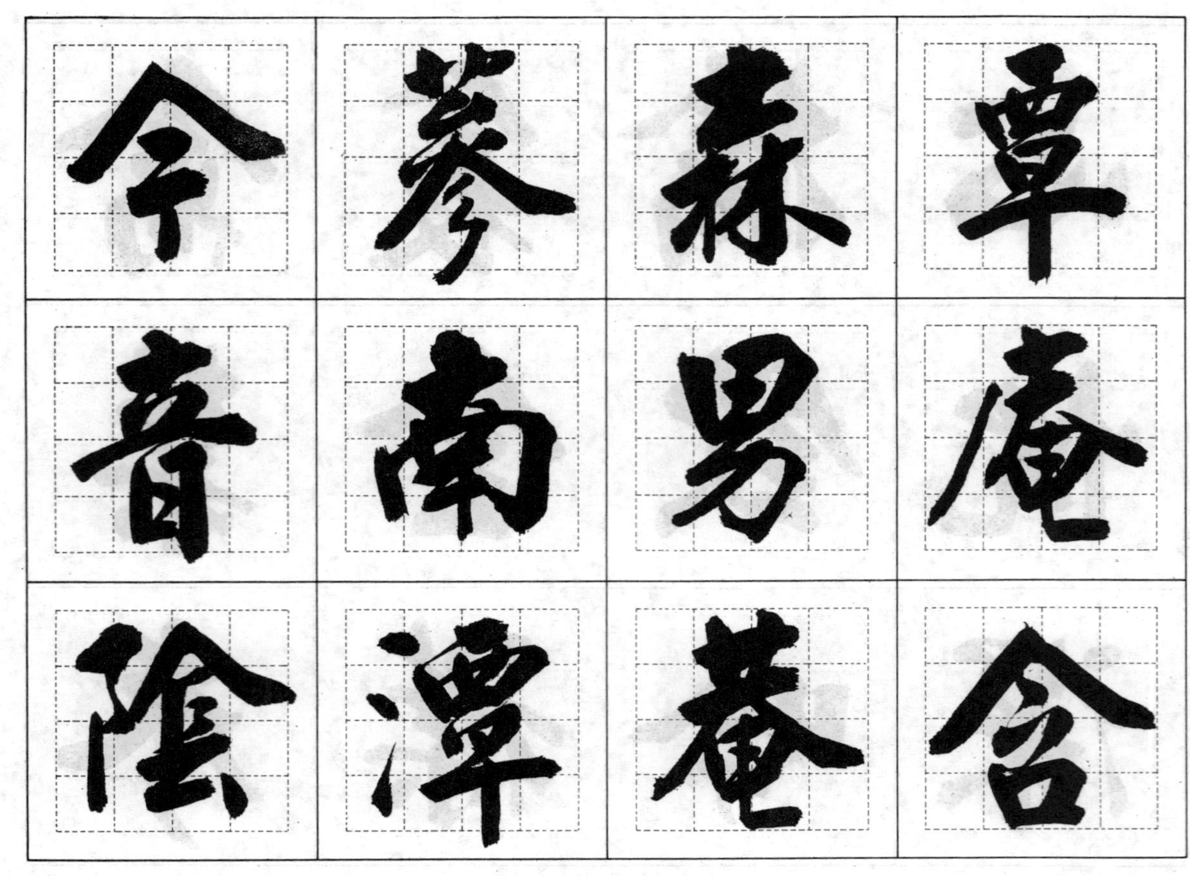
令 蔘 森 覃
音 南 男 庵
陰 潭 菴 含

戡毵淦
婪簪堪
探貪涵
函嵐蠶

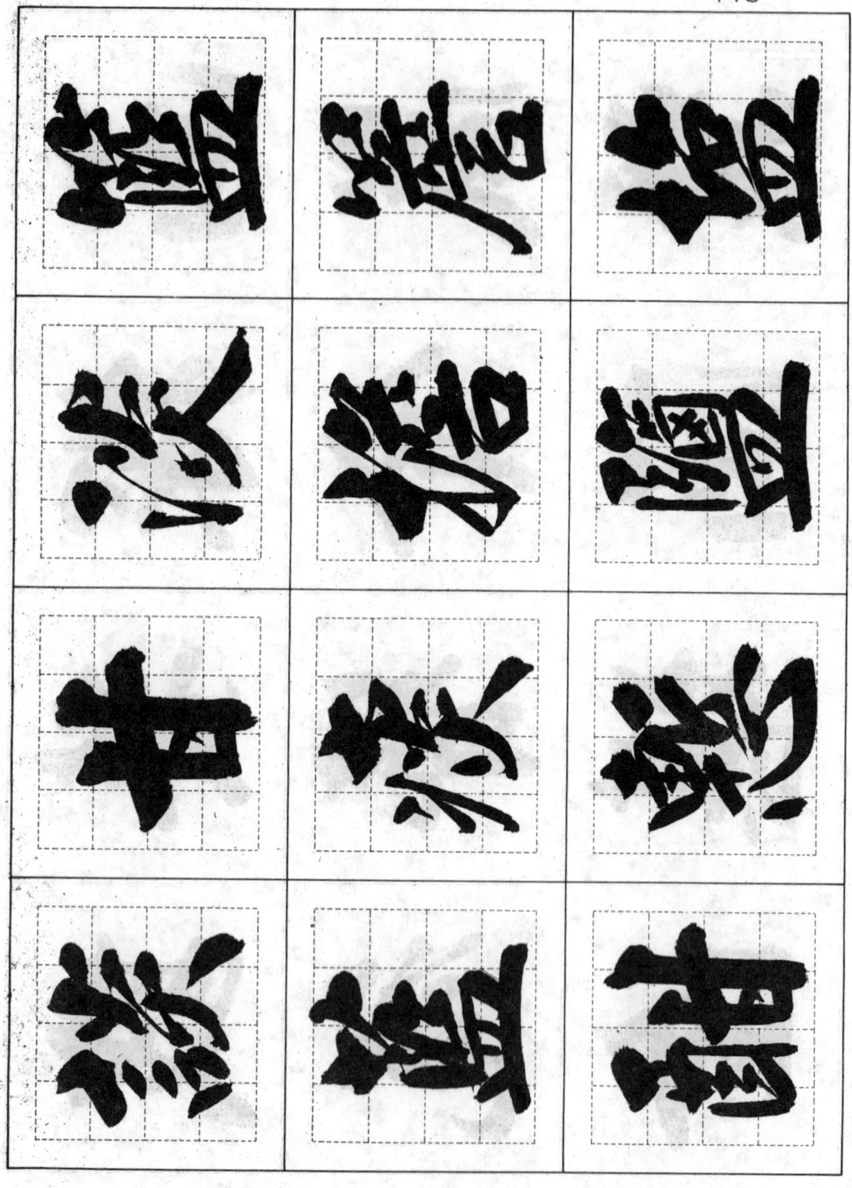

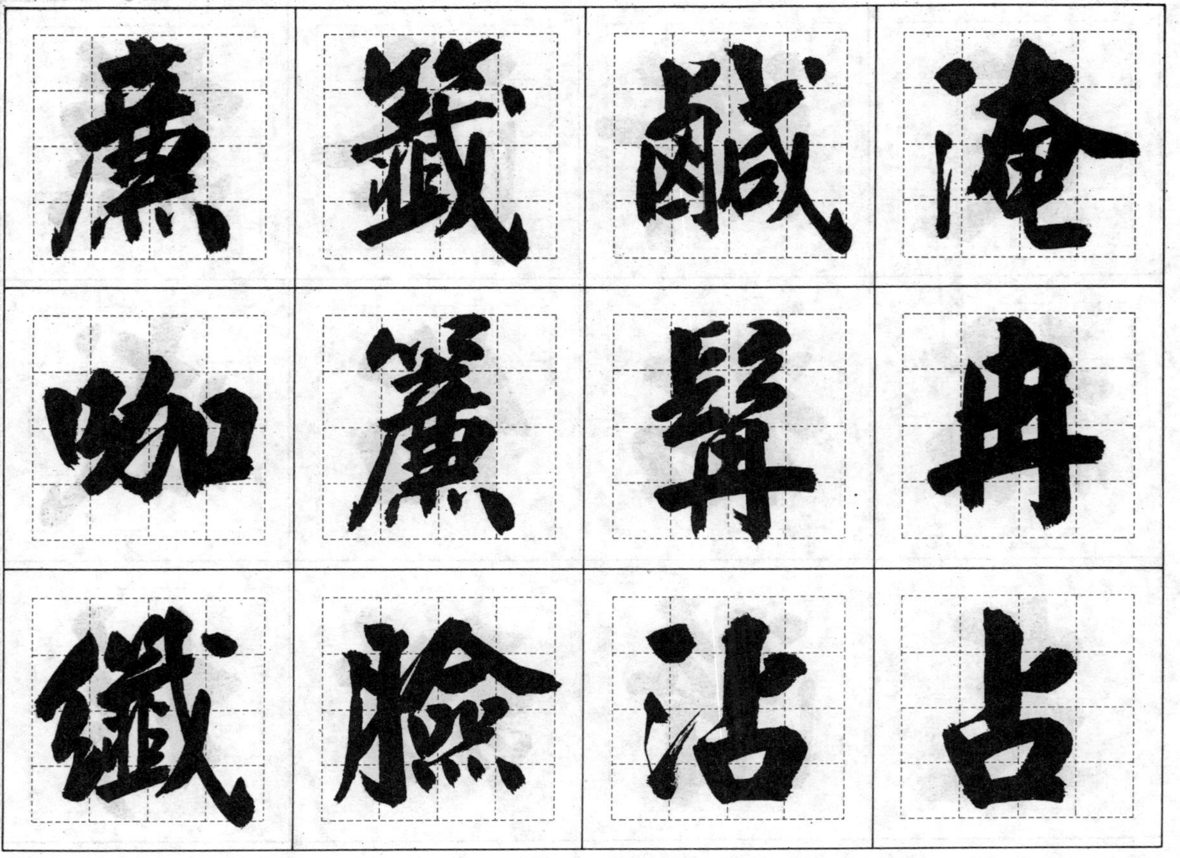
淹
冉
占
鹹
髯
沾
籤
簾
瞼
廉
咖
纖

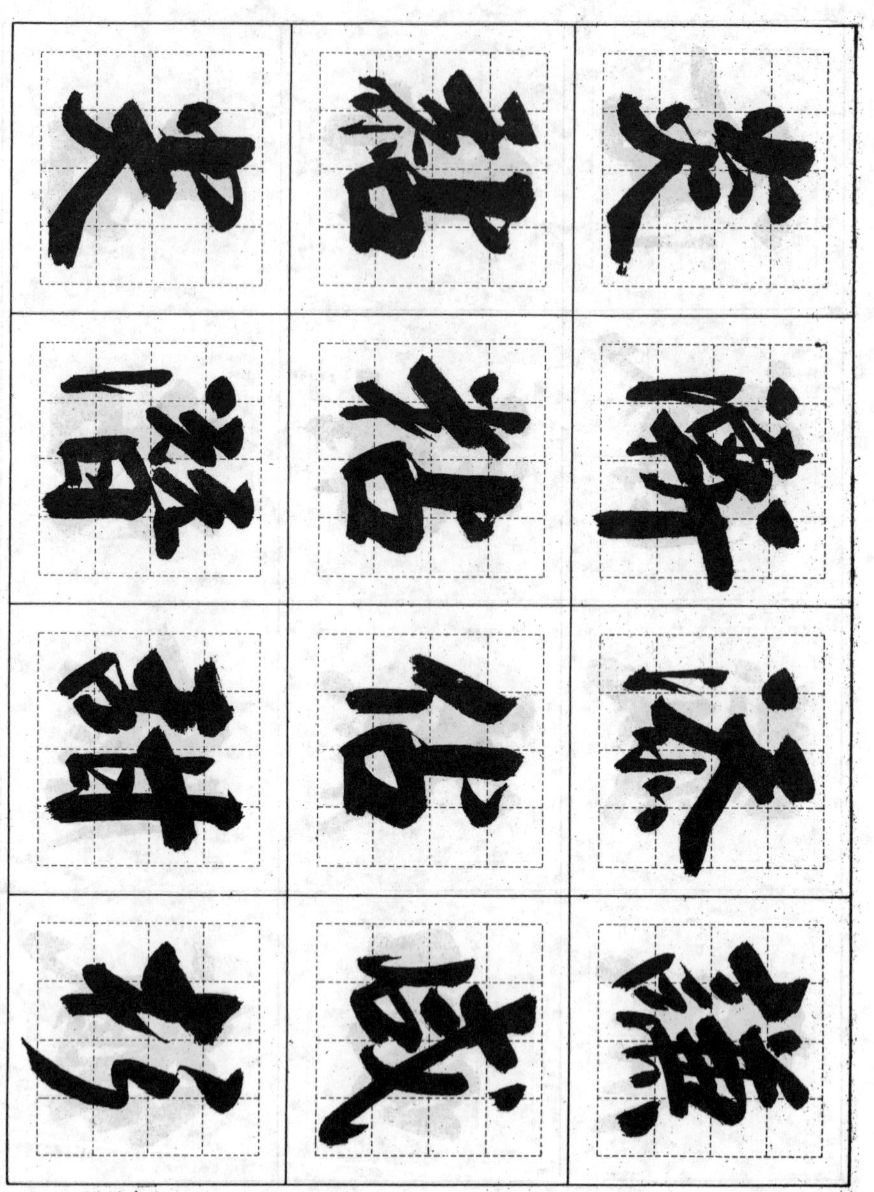

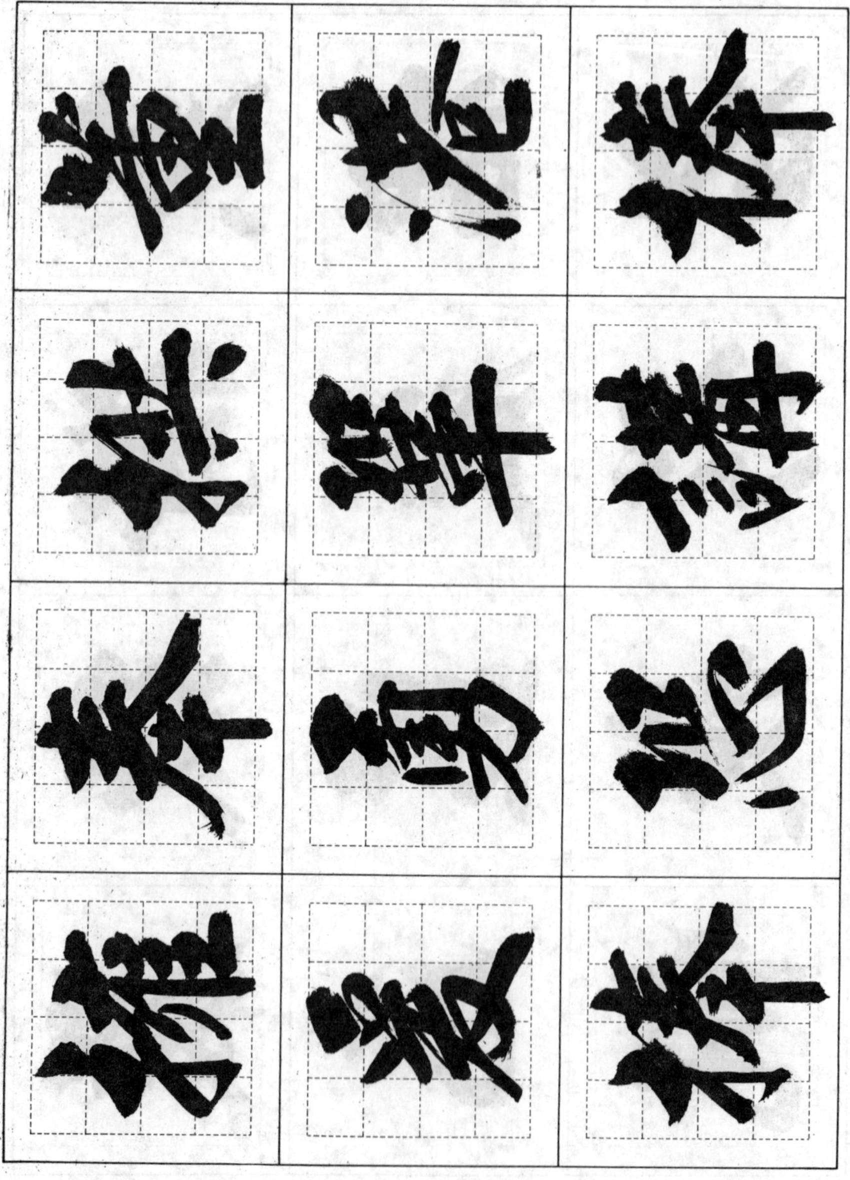

項
咫
作
椅
硃
抵
飡
蟻
只
是
倚
莫

彼 劇 砥 蛾
孔 蝦 诡 此
靡 佰 髓 剑

徙 邇 弛 援
灑 紫 件
俾 侈 豕 旨

爾捍鄙几
指詐痞虎
底美兕妣

壘
水
揆
雉
死
履
究
矢
机
出
軌

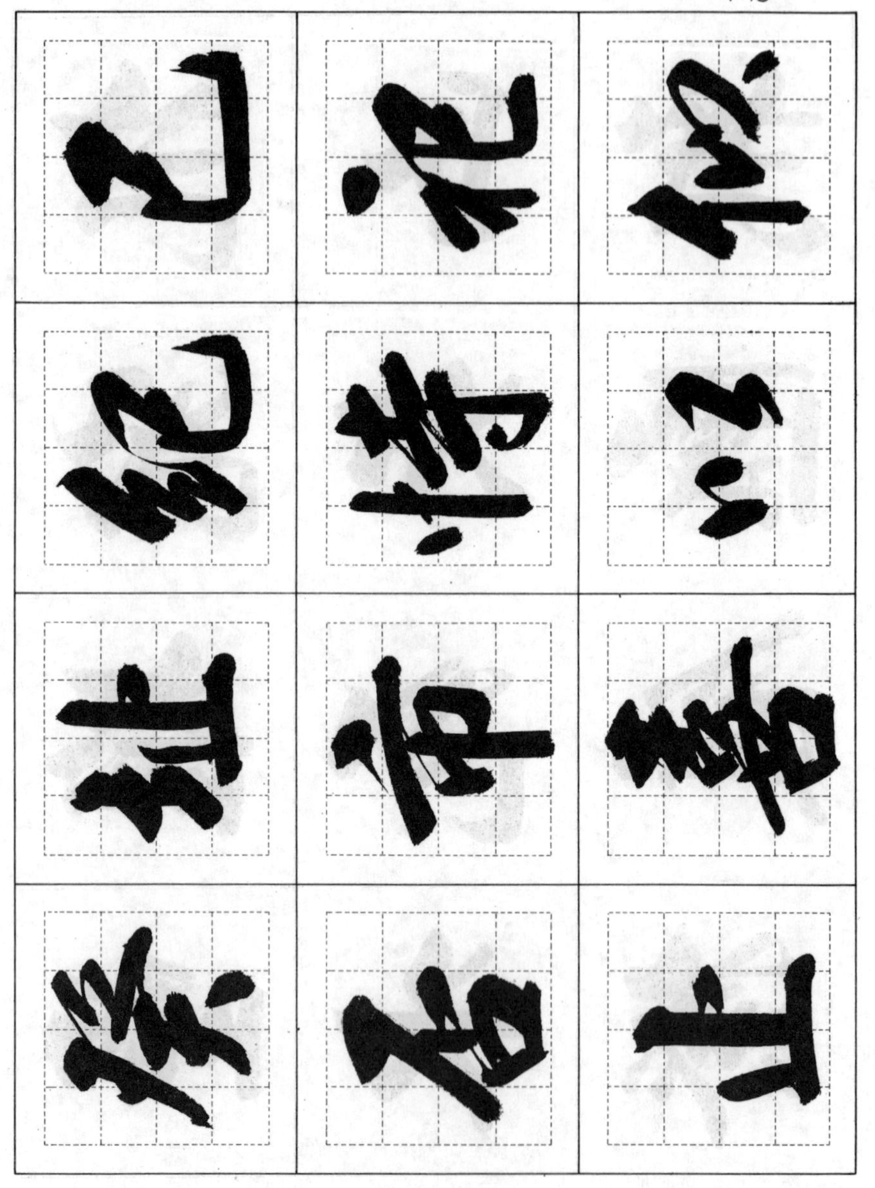

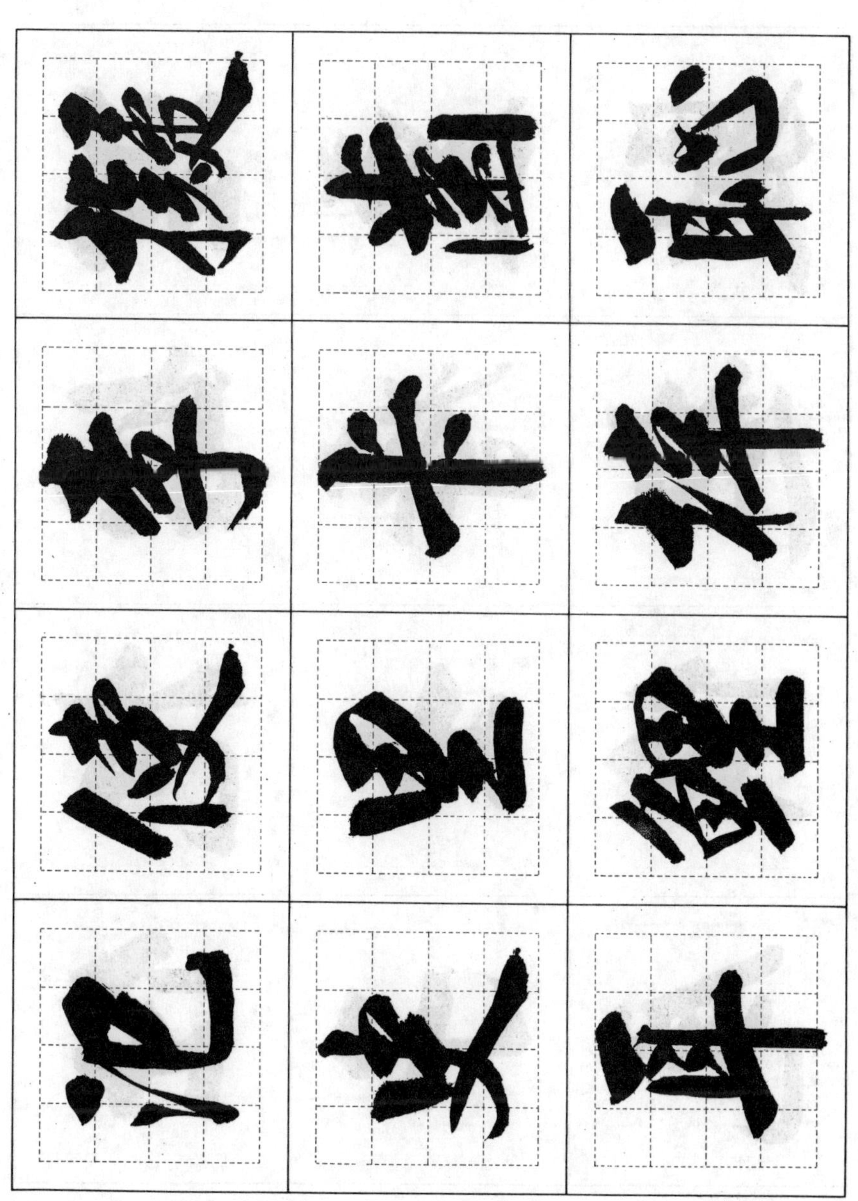

理 始 杞 仕
裏 痔 士 子
駿 赳 俟 尾

虫
竟
語
輩
鬼
蜚
樓
匯
偉
豈
渠
斐

楚
巨
阻
女
拒
所
募
胥
許
褚
貯
慶

鵡斧聚宇
柱舞脯寓
腑武府甫

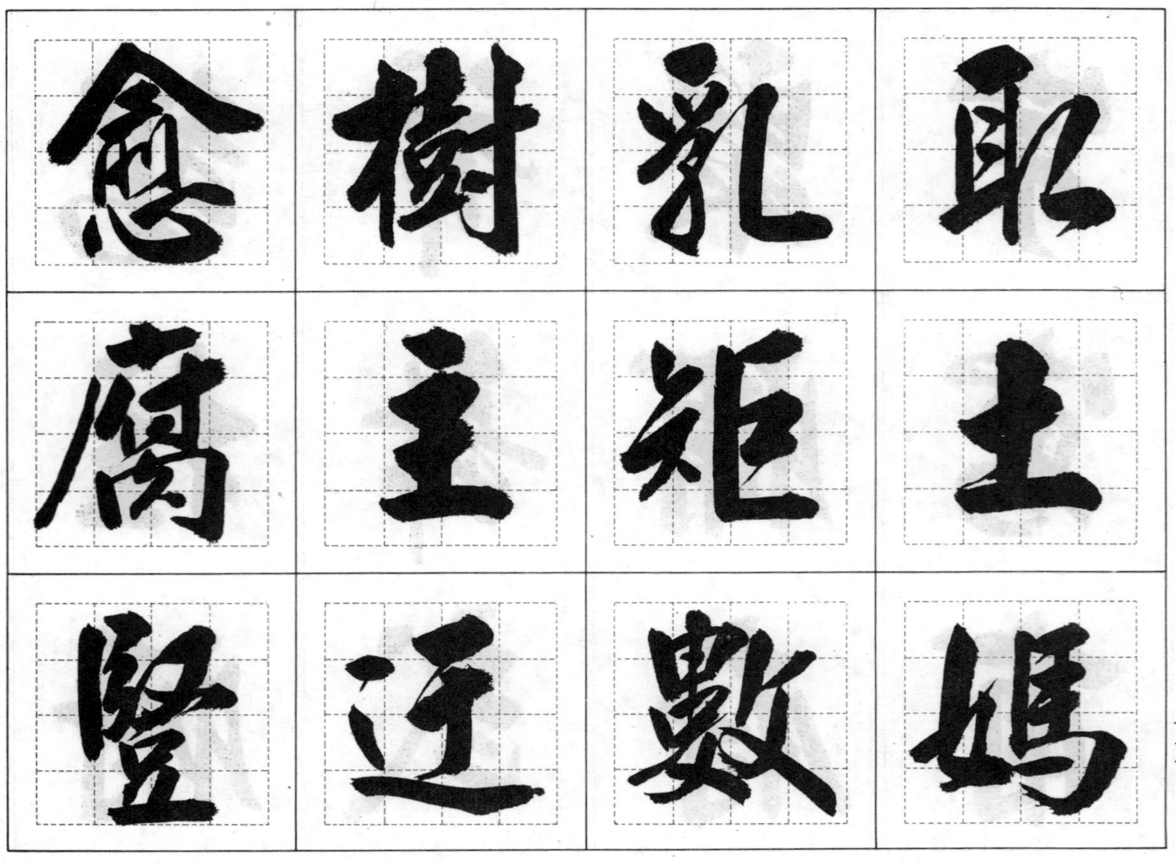
愈 樹 亂 取
腐 主 矩 土
豎 迂 數 媽

五 午 組 苦
薄 粗 伍 努
部 虎 塢 祜

禮
礼
豊
譜
圓
澧
后
善
浦
琥
雁
滬

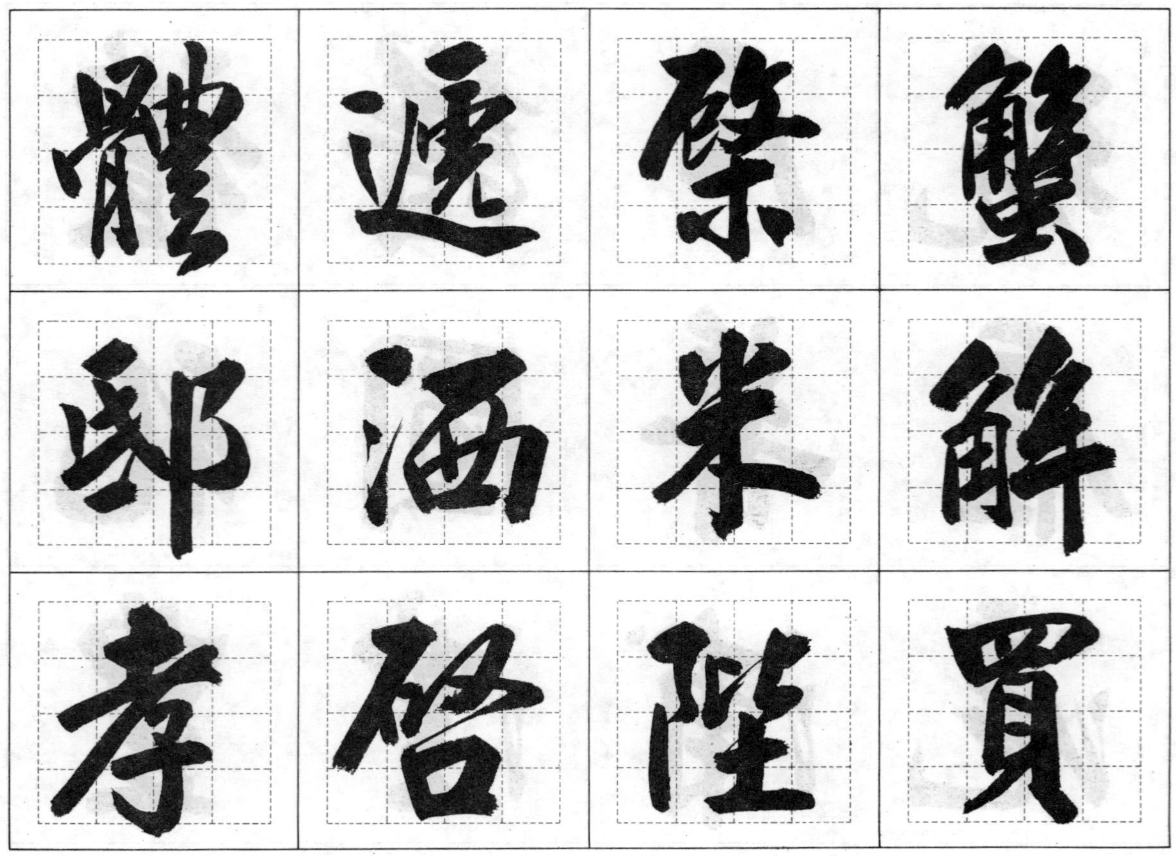
體
遞
際
蟹
郎
酒
米
解
孝
啓
陛
買

罪
腿
匯
磊
蕾
儡
影
楷
賄
羅
矮
闊

隕準們
引憫敏
盡菌窘
探診緊

准 筍 盾 憤
允 筝 吻 粉
尹 蠢 剖 你

損穩遁
混澤本
苑飯圈
卷婉菀

很 懇 佑 誕
墾 坍 研 緩
旱 傘 懶 卵

纂
伴
滿
盟
款
暖
換
管
算
浣
灘
擴

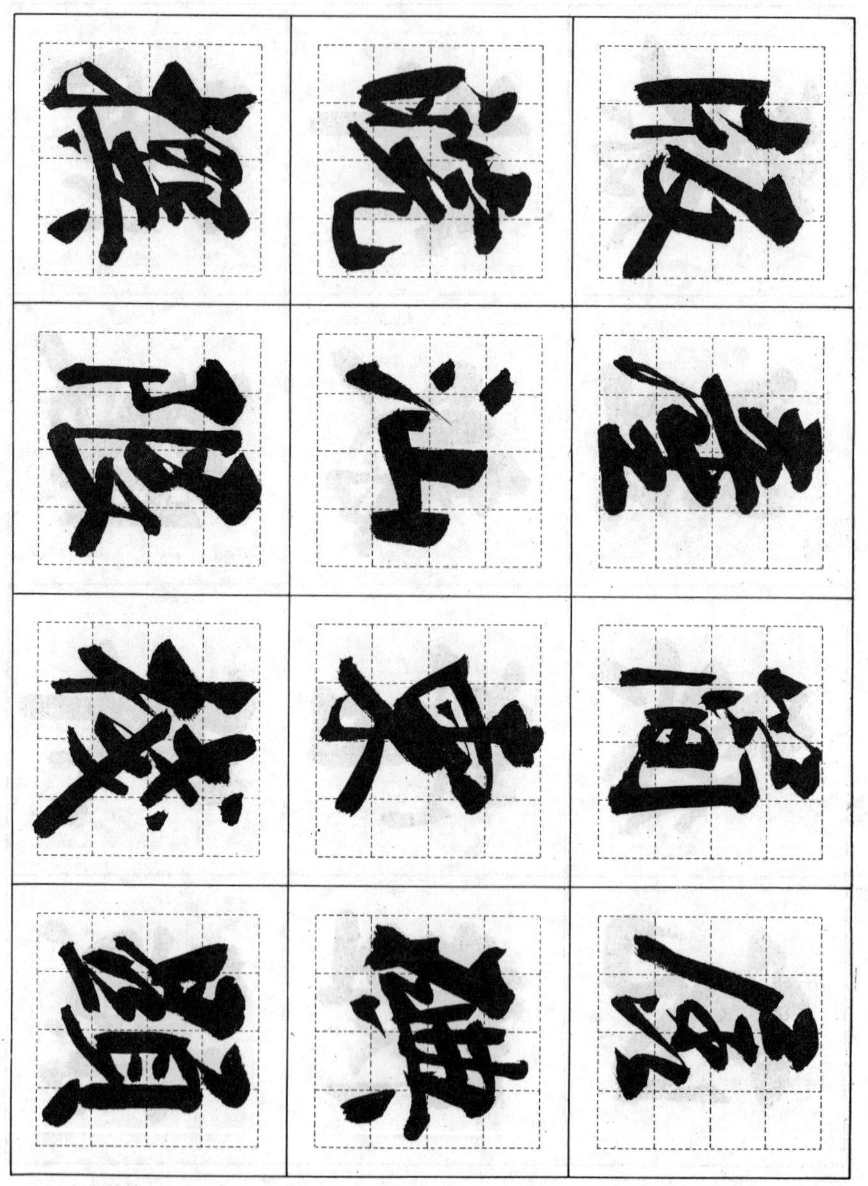

眼 板 扁 演
典 撚 大 衍
峪 匾 癬 踐

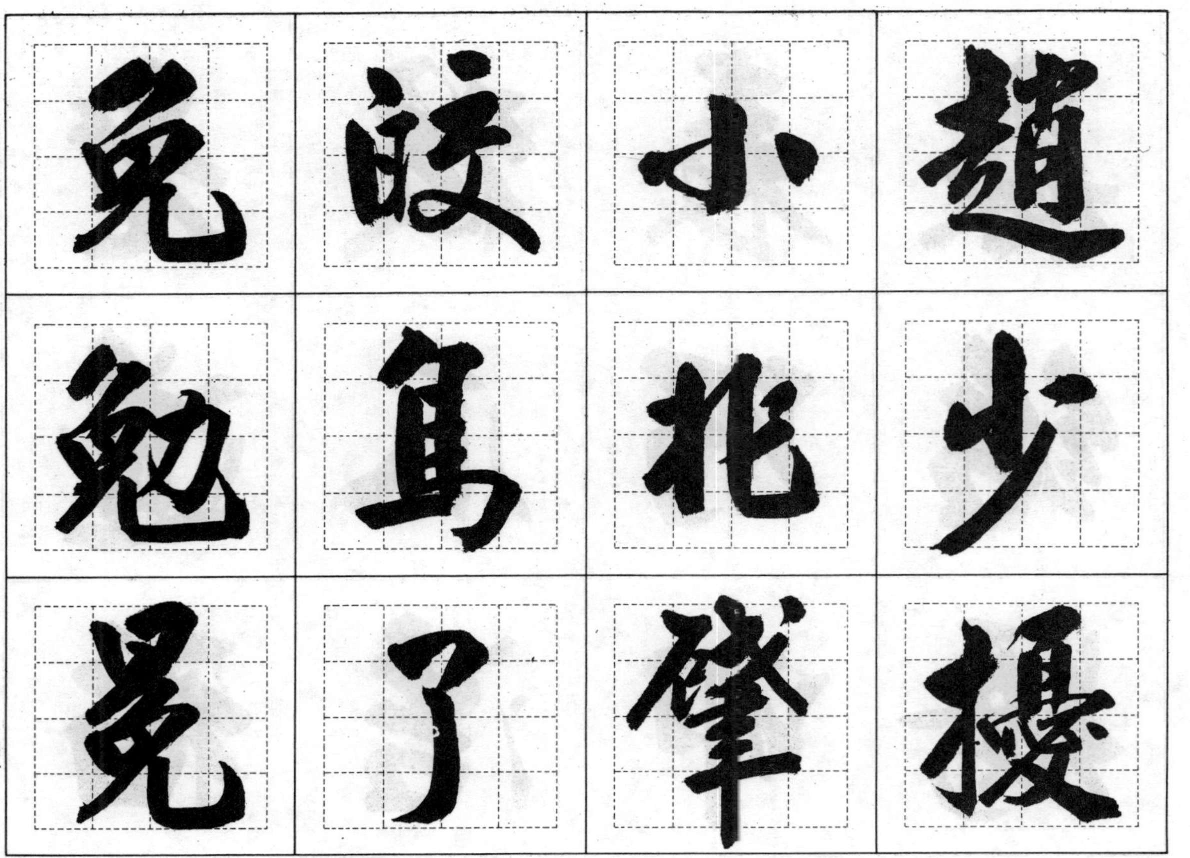

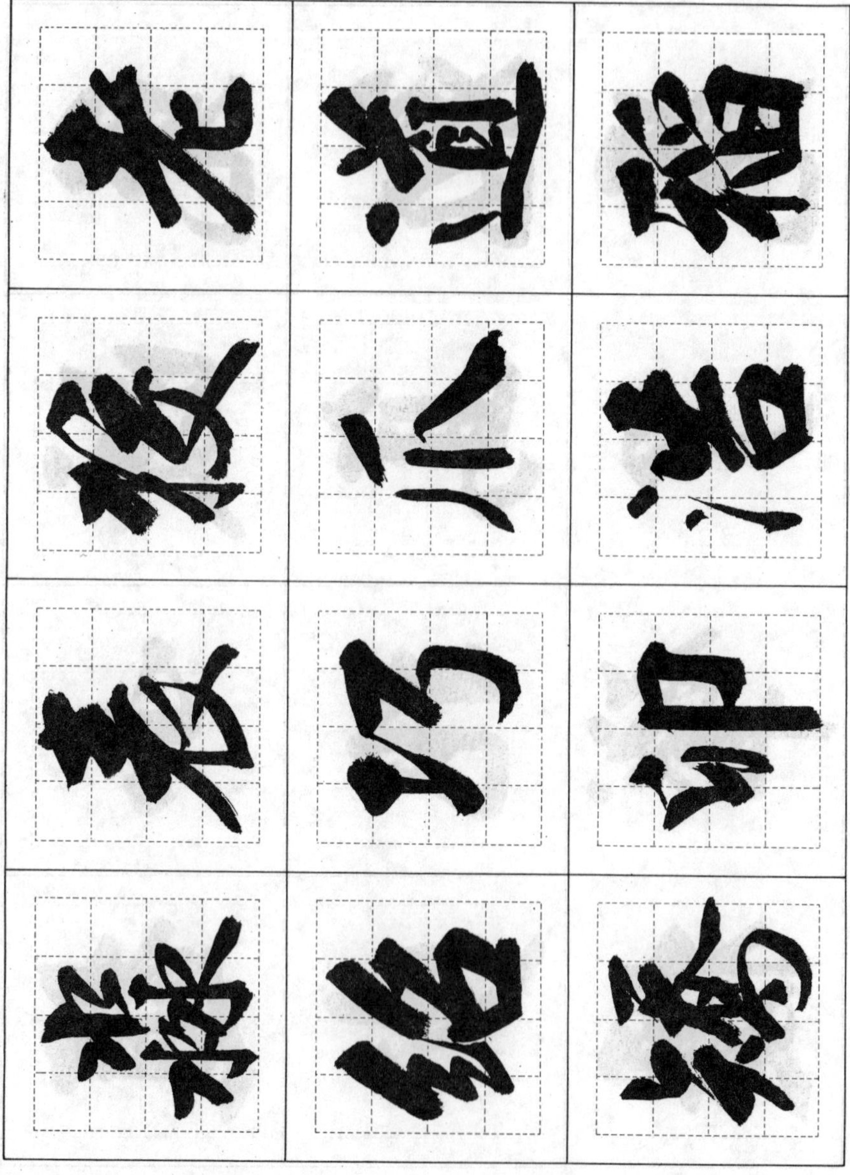

討 倒 早 碯
惱 禱 棗 寶
掃 草 好 保

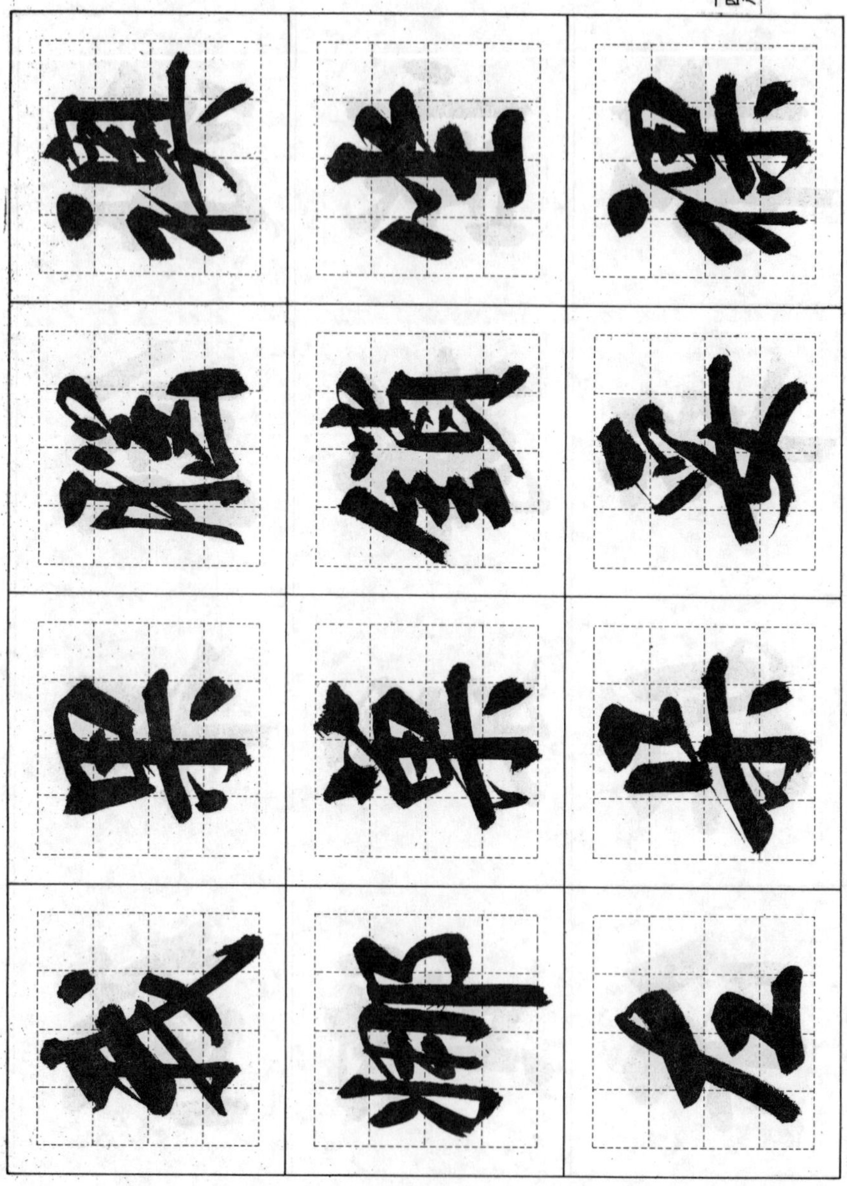

凜倭柵
禍梅火
顆爸馬
碼罵者

彰 治 瑕 巒
野 雅 假 啞
也 足 斑 下

挂
瓜
寡
把
舍
捨
姐
廈
夏
寫
社

箋
像
巽
養
掩
癢
象
惹
瀉
槎
跨
妮

響享敞
想掌爽
仰瘴愴
兩槳島

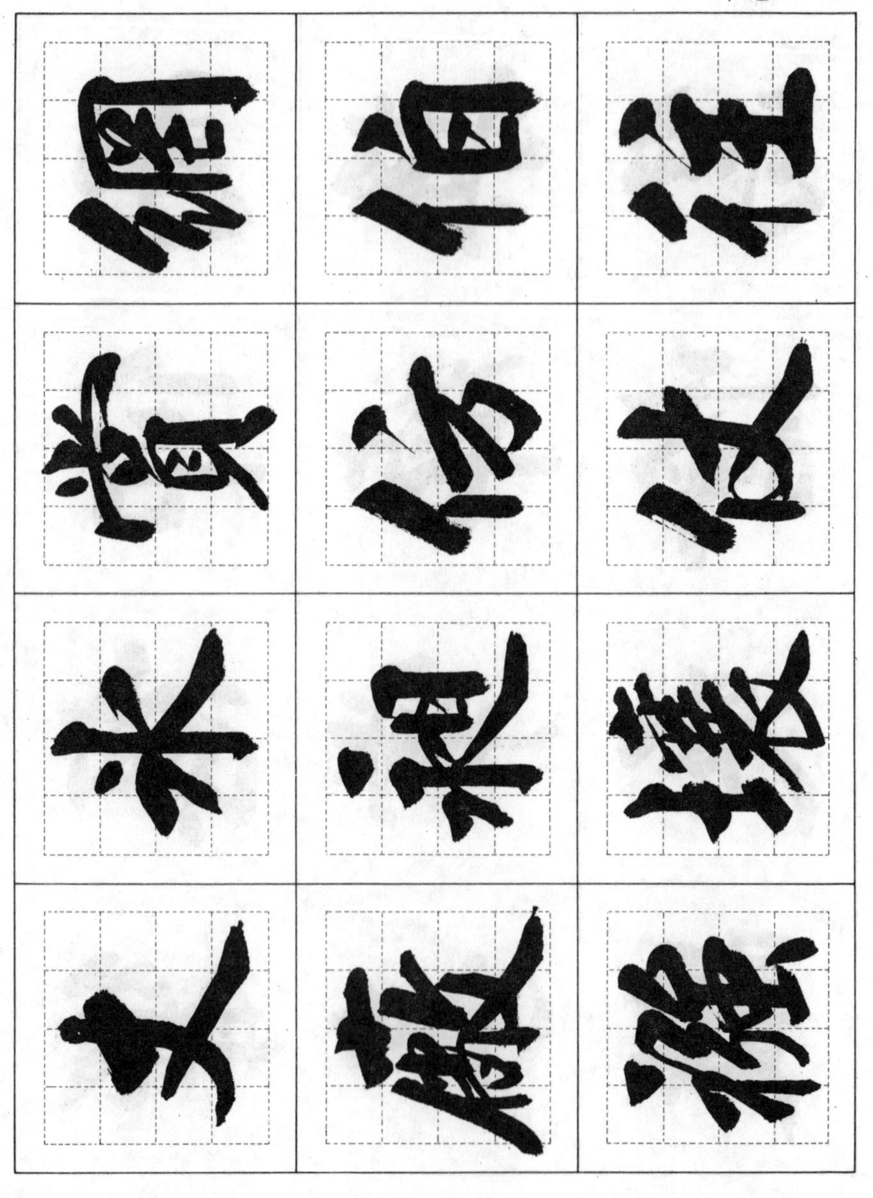

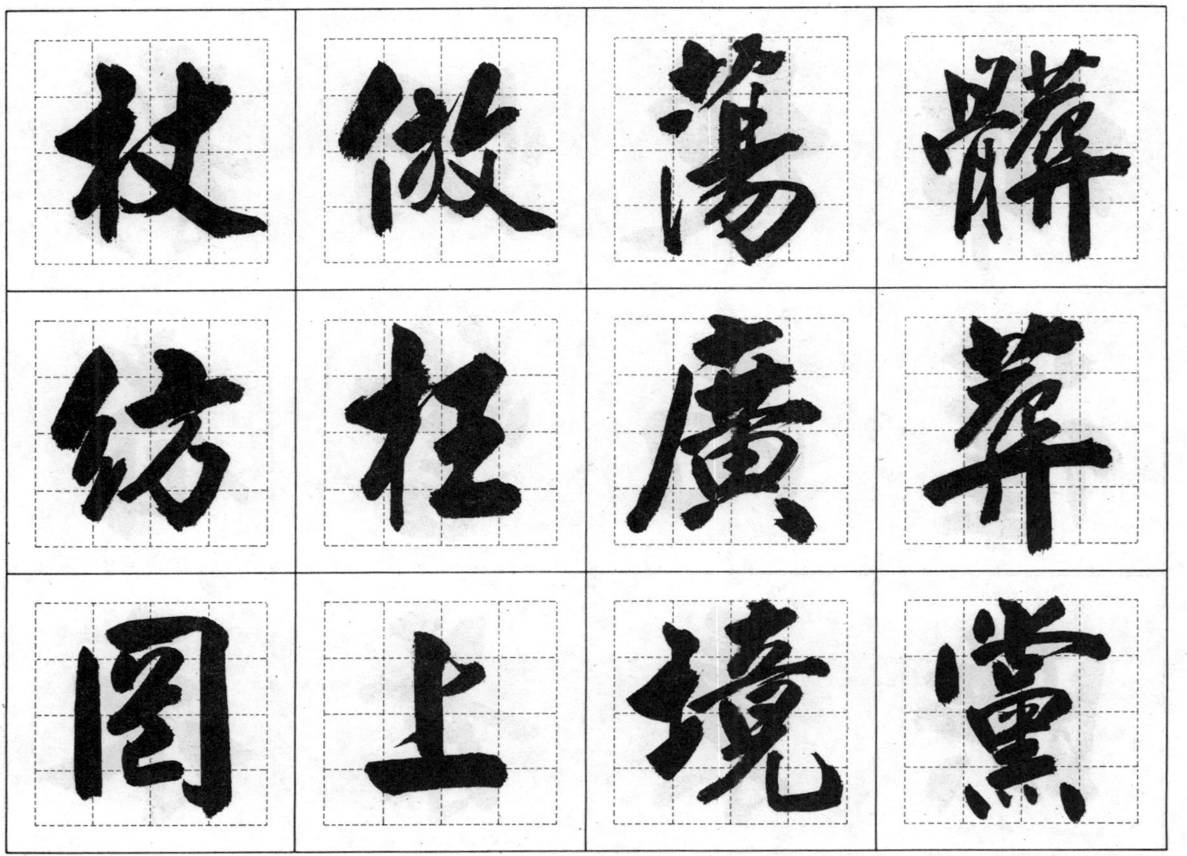
髒
莽
黨
蕩
廣
境
儆
枉
上
杖
紡
罔

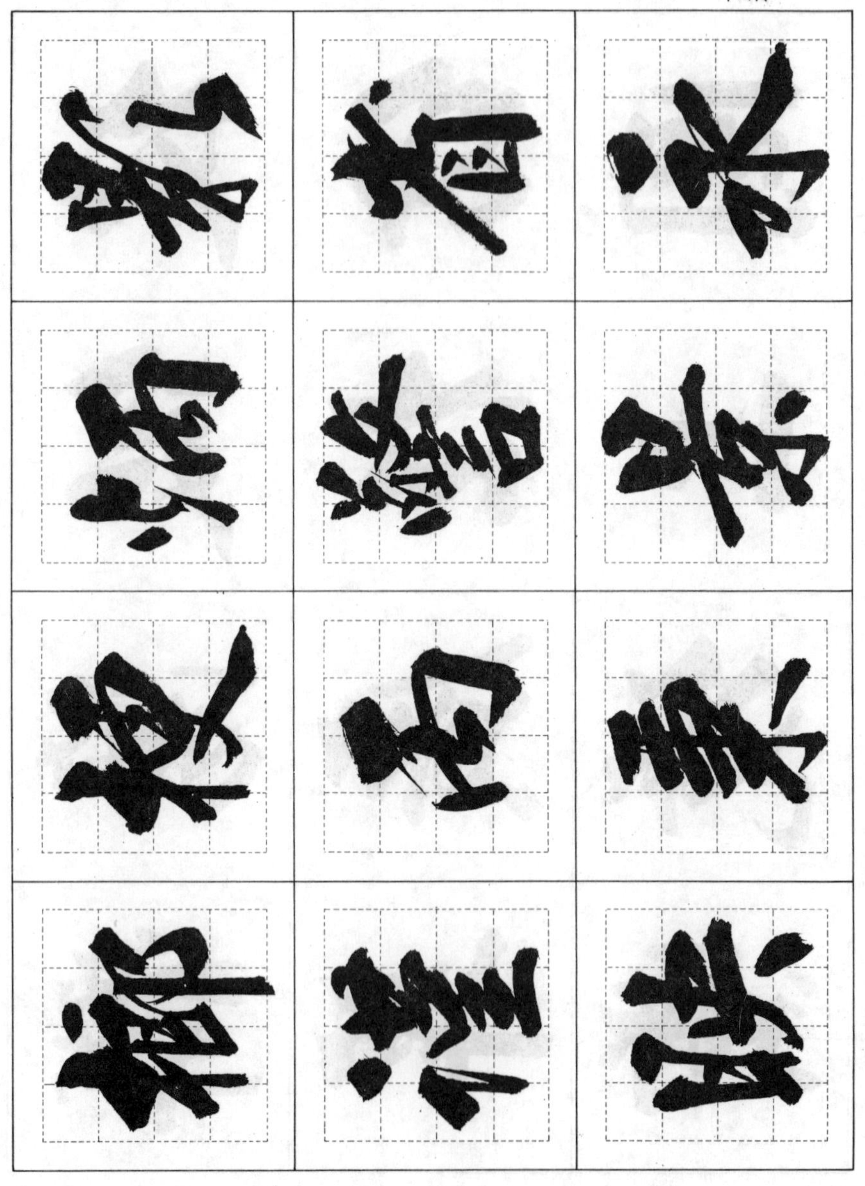

猛
礦
檸
幸
杏
打
靜
皿
返
請

洗
醒
並
挺
每
霆
茗
頂
鼎
燠
請
烱

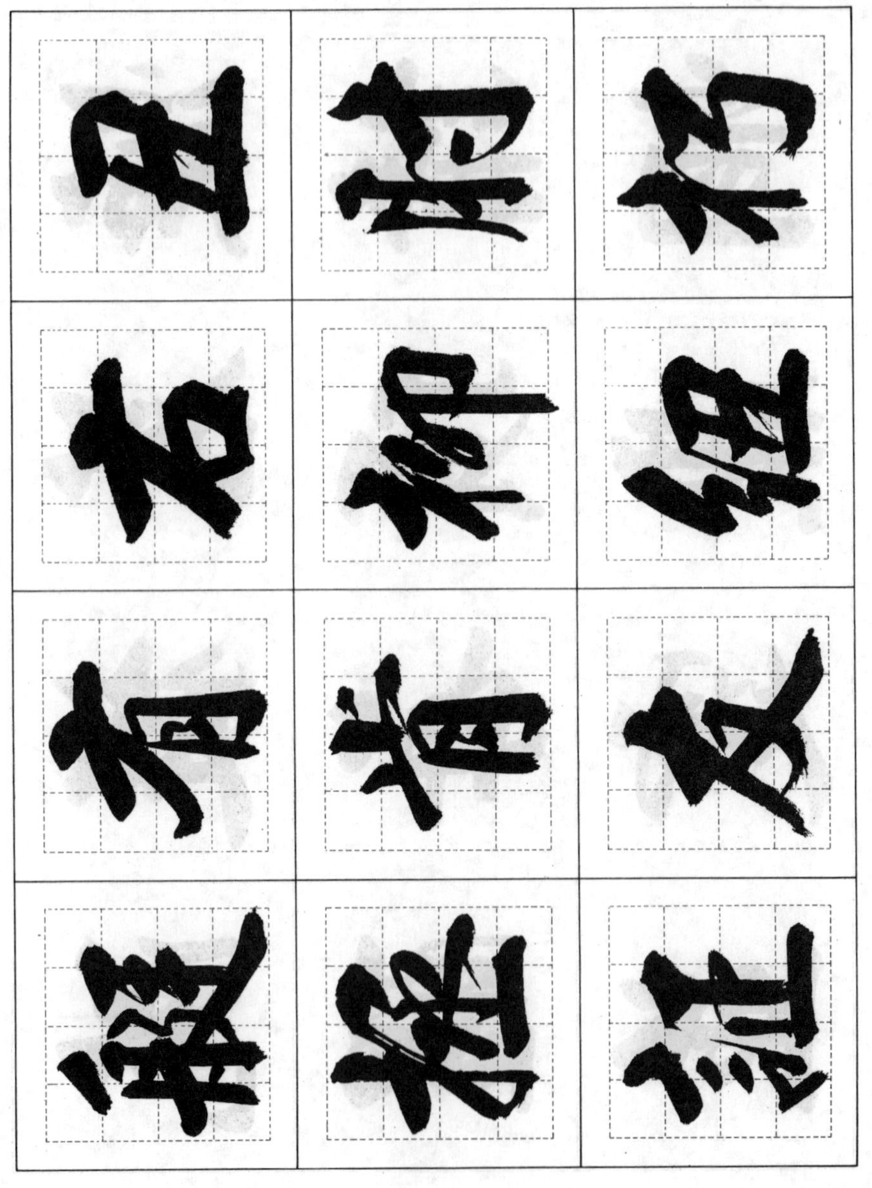

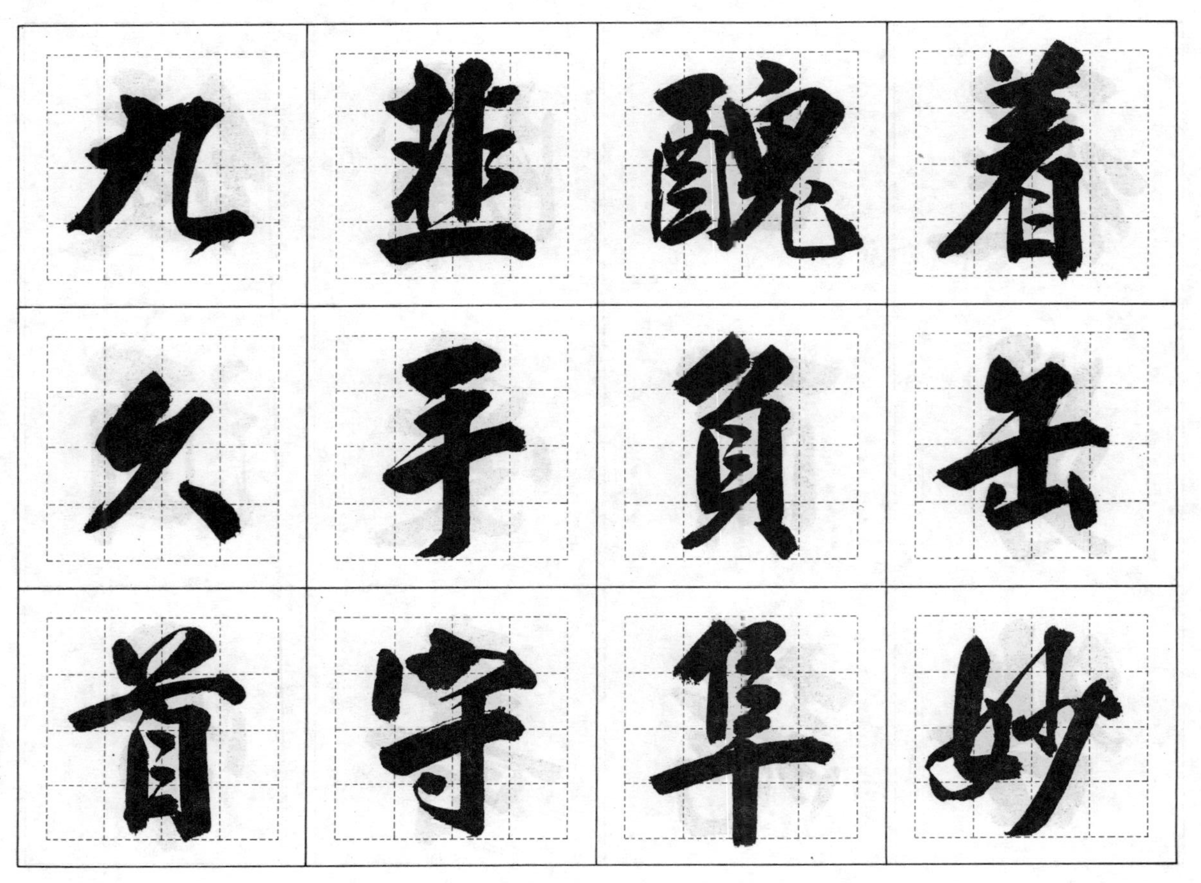

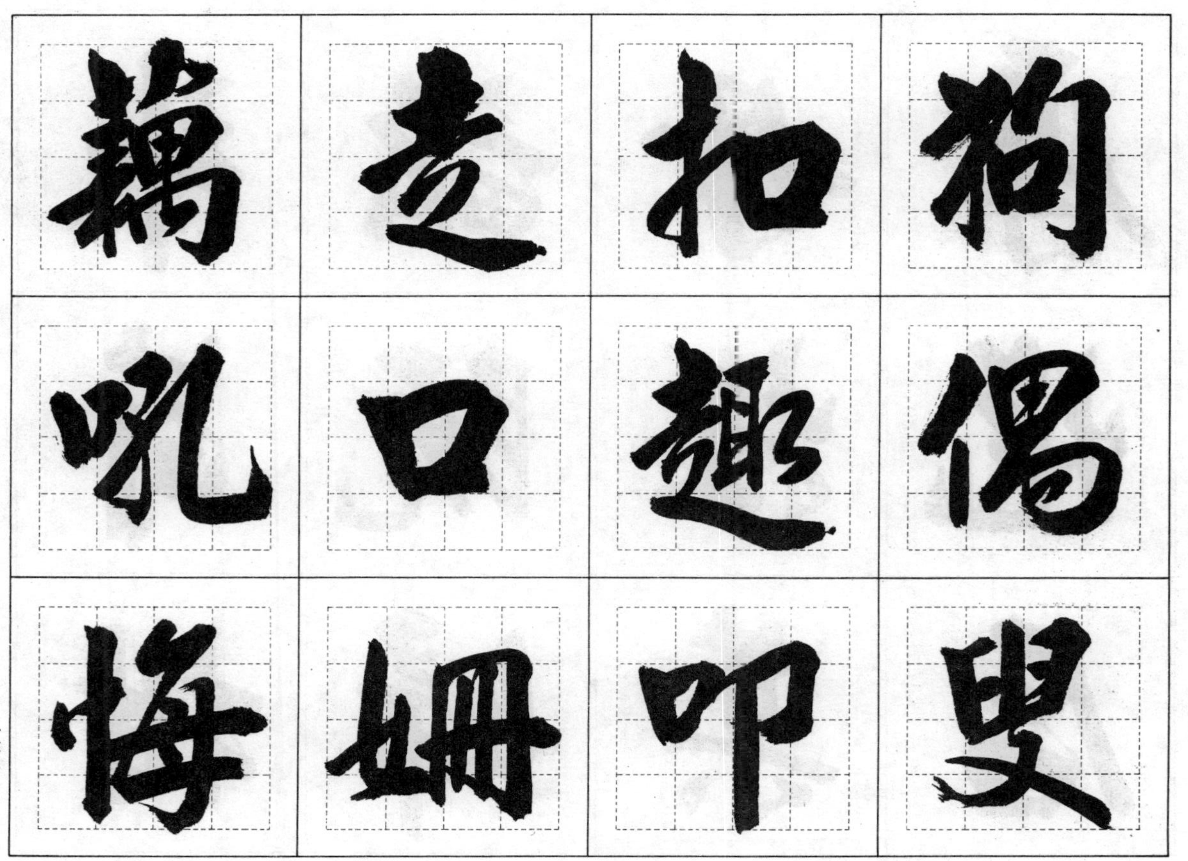
狗偶叟
扣趣叩
走口姍
藕吼悔

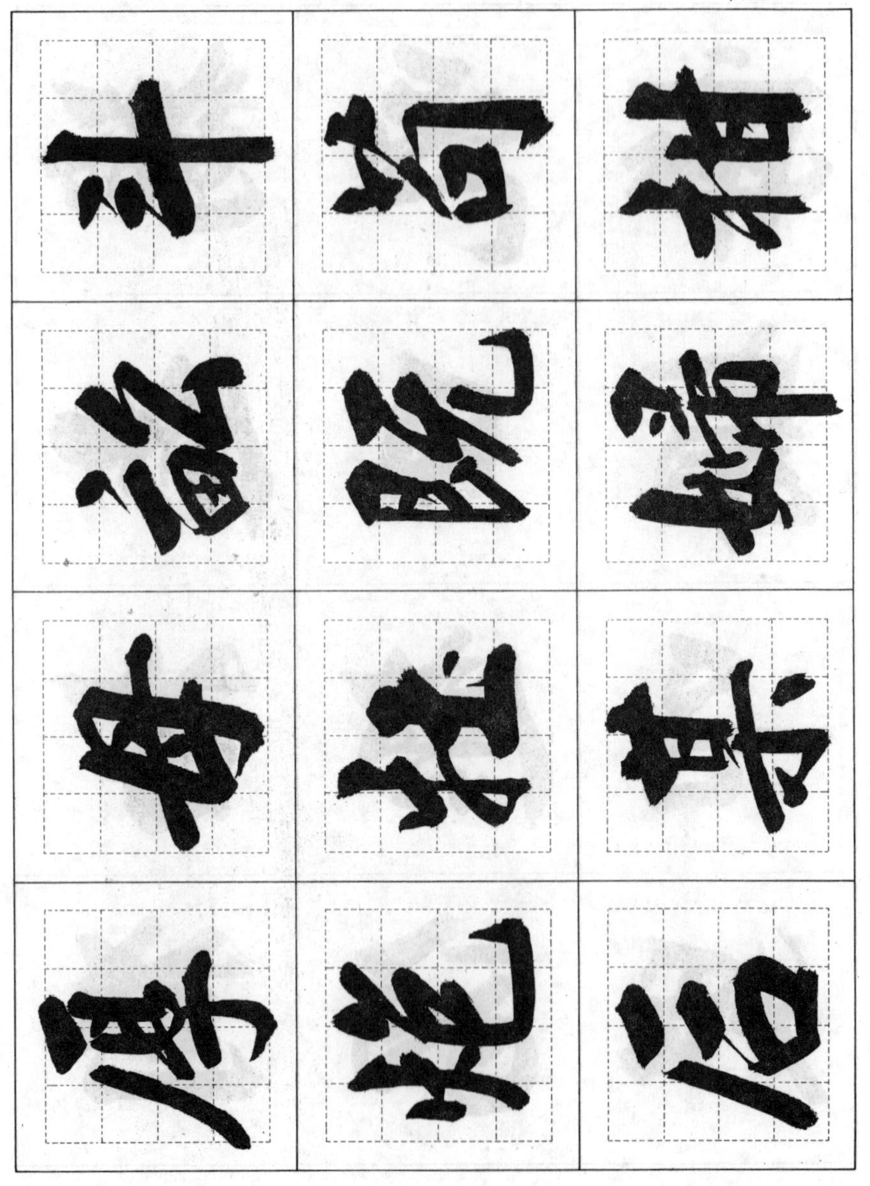

釦
糾
搬
況
飲
品
叁
審
派
寢
飪
稔

貶 染 奄 點
僉 陝 截 篳
他 閉 忝 歎

俘
筒
仲
糉
弄
捌
控
送
畀

痛
楝
统
俸
漲
宋
塚
驟
棹
综
用

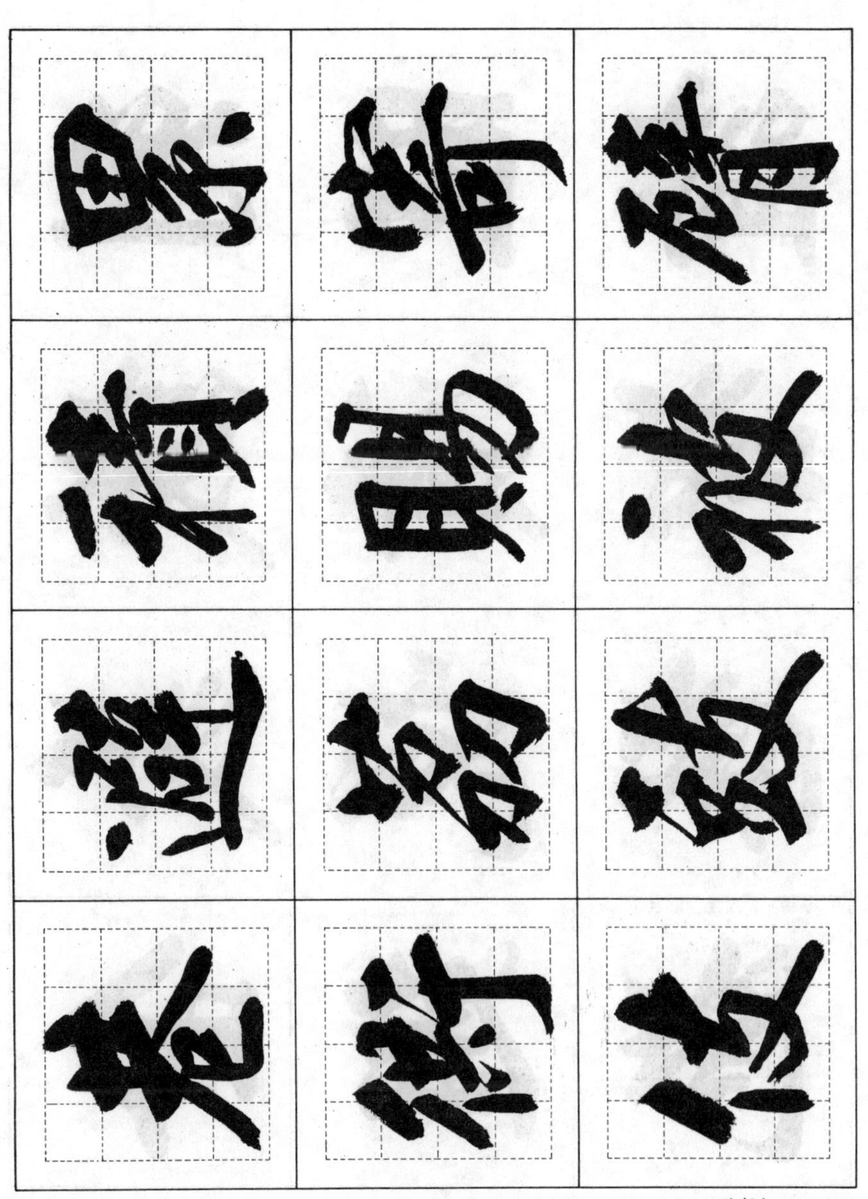

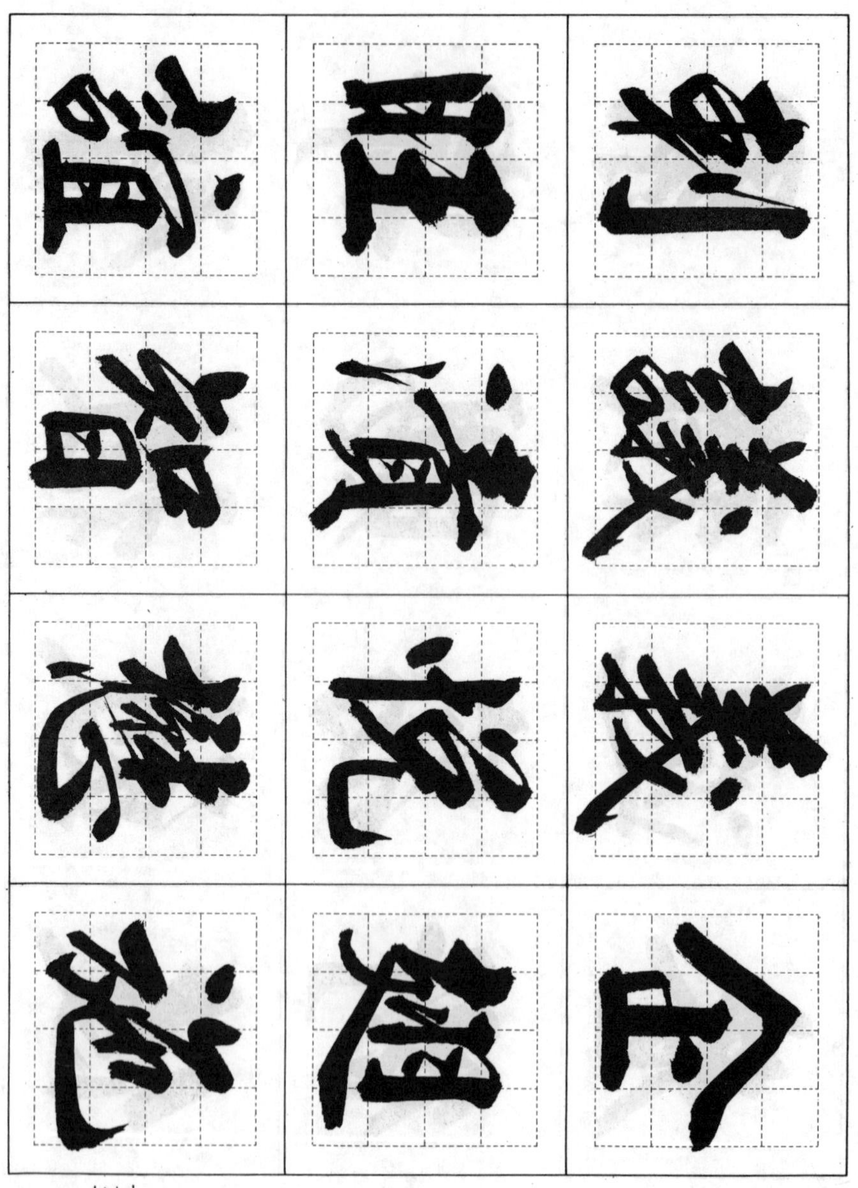

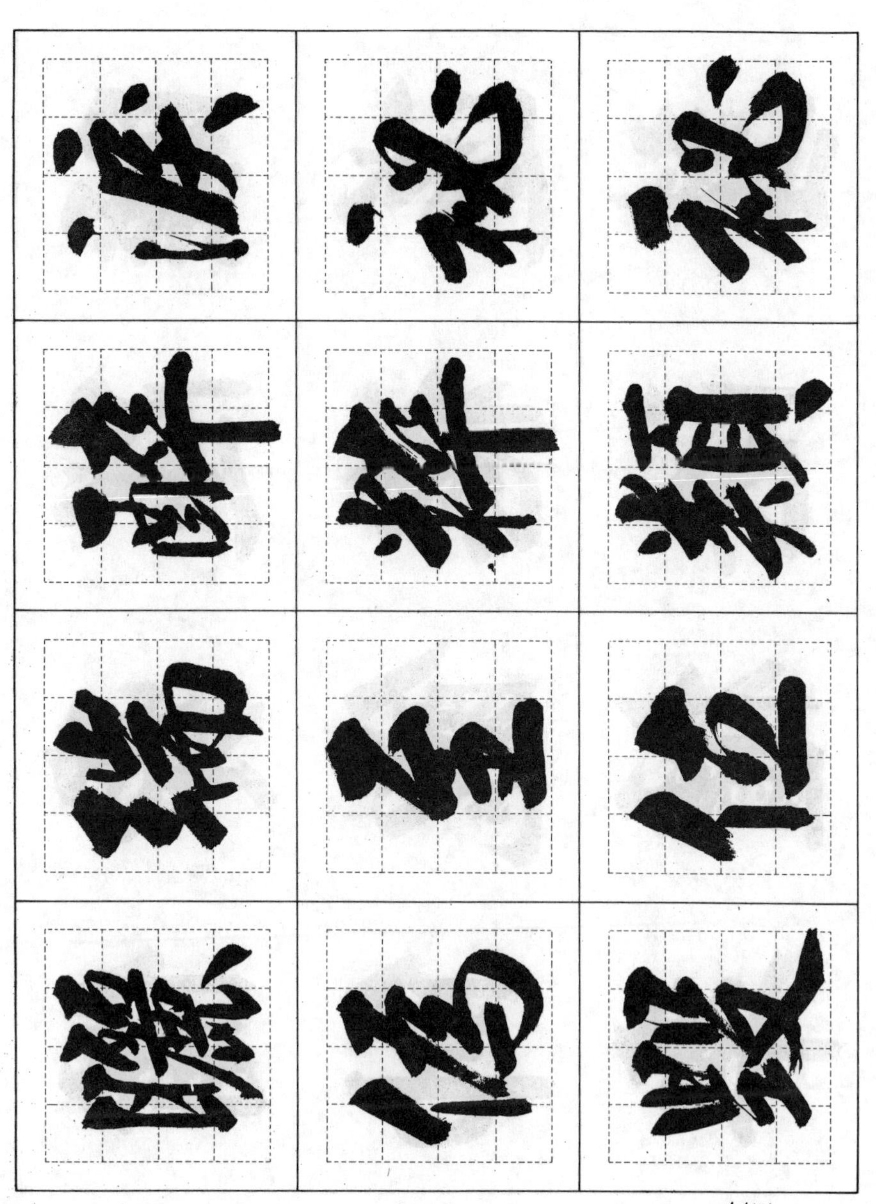

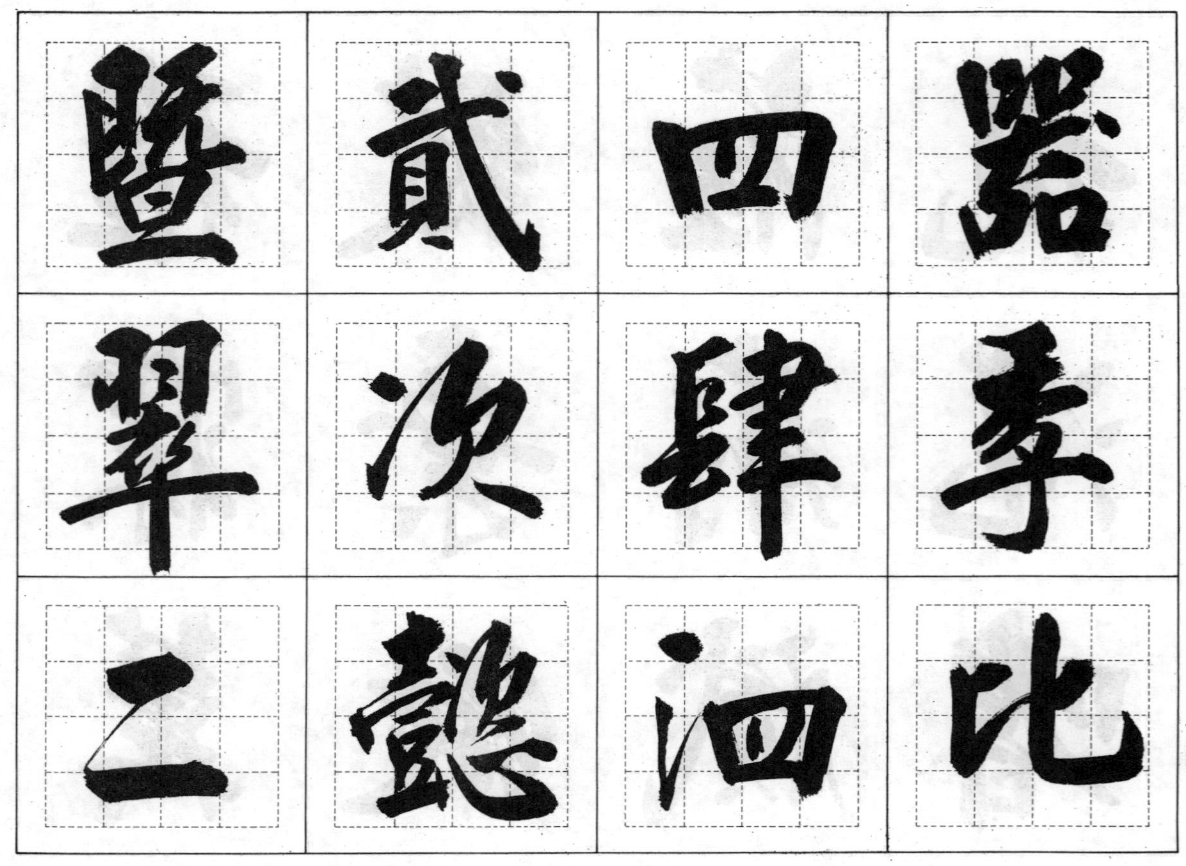
器季比
四肆泗
貳次懿
暨翠二

痣 織 識
怡 志 誌
示 自 墜
萃 地 肄

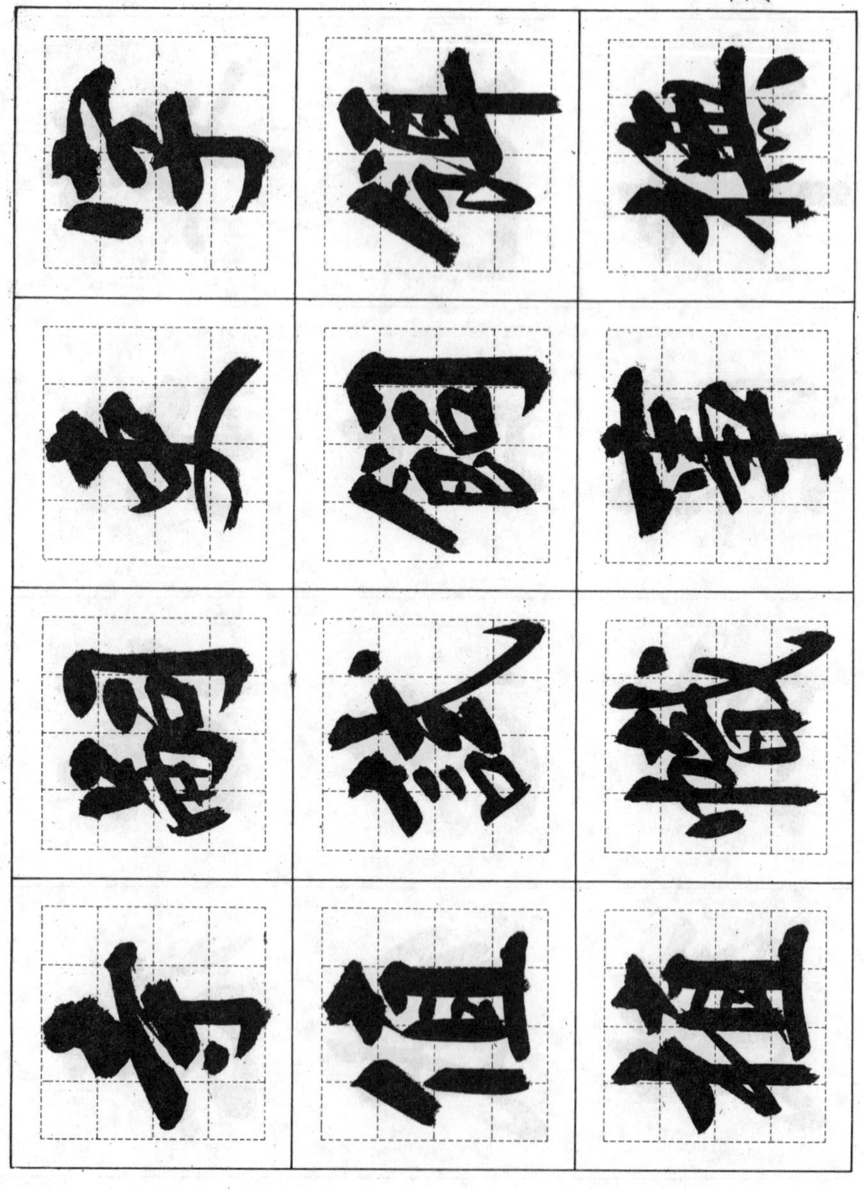

未
貴
胃
意
記
嬉
畏
置
侍
妮
廁
異

翡
蒞
氣
慰
卉
精
渭
魏
庇
味
謂
緯

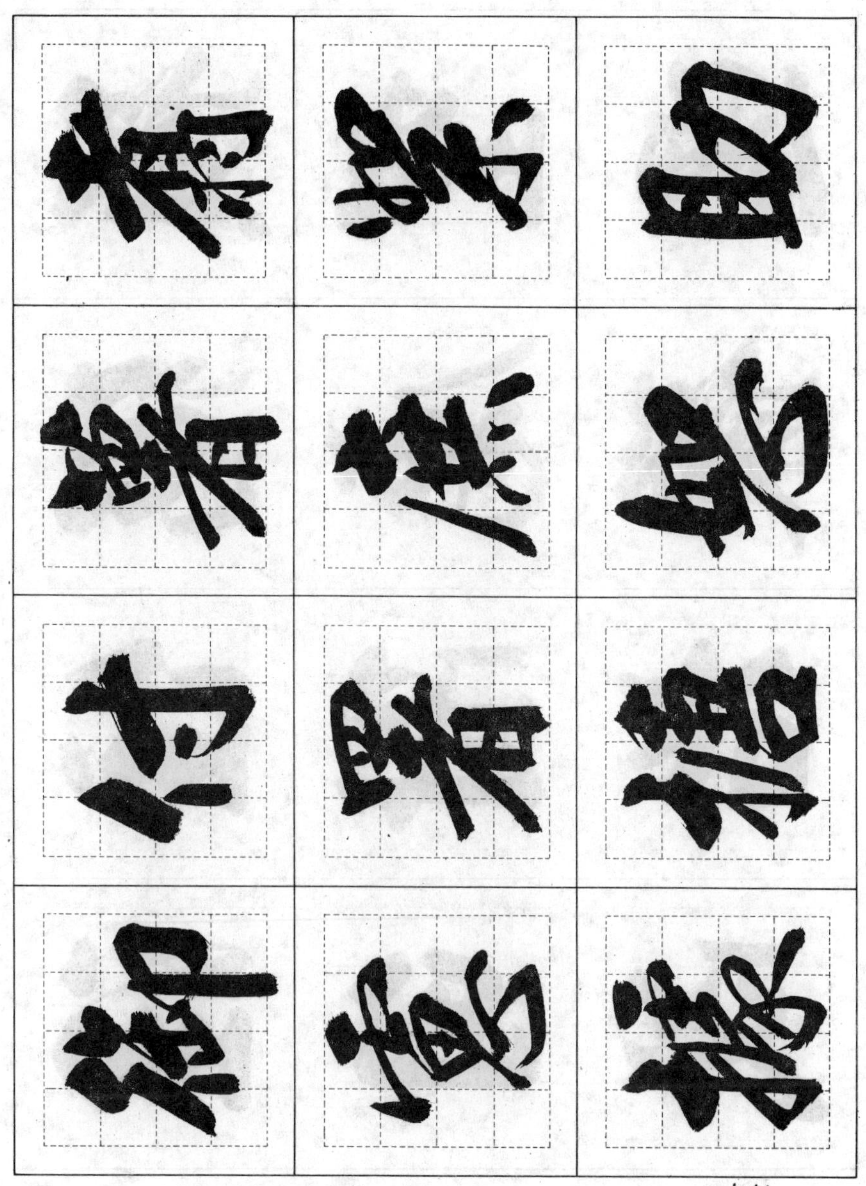

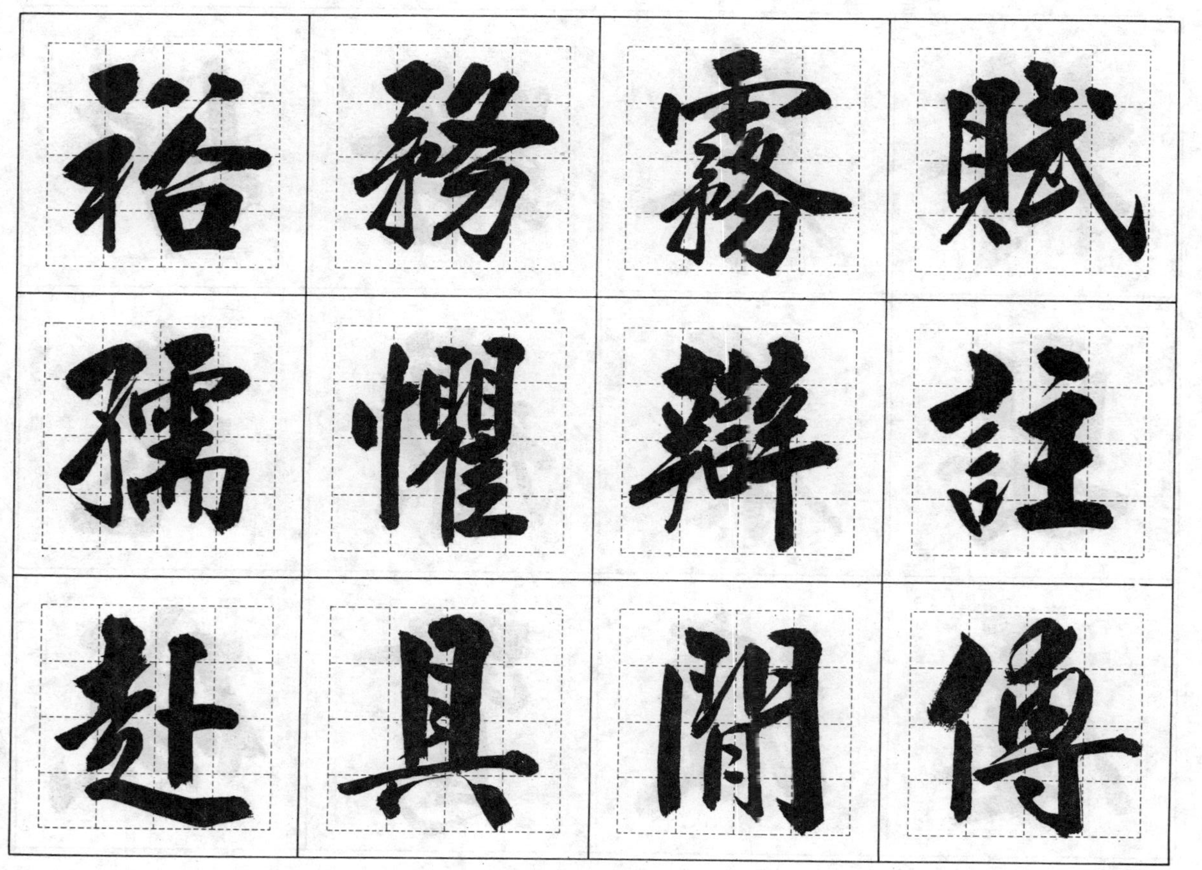
裕 務 霧 賦
孺 懼 辯 註
赴 具 閒 傳

搏 暮 路 妒
娶 慕 療 免
屢 渡 鷺 碱

訴 怒 汙 錯
素 布 渝 怖
塑 悟 厝 禎

佈 庫 步 帝
醋 恤 哺 褲
措 捕 濟 剃

弟
替
棣
係
擠
第
計
繫
燙
悌
継
系

祭
歲
衛
繪
隸
儀
慧
惠
桂
契
謎
閘

際 睿 幣 製
贅 綴 制 逝
脆 稅 噬 曳

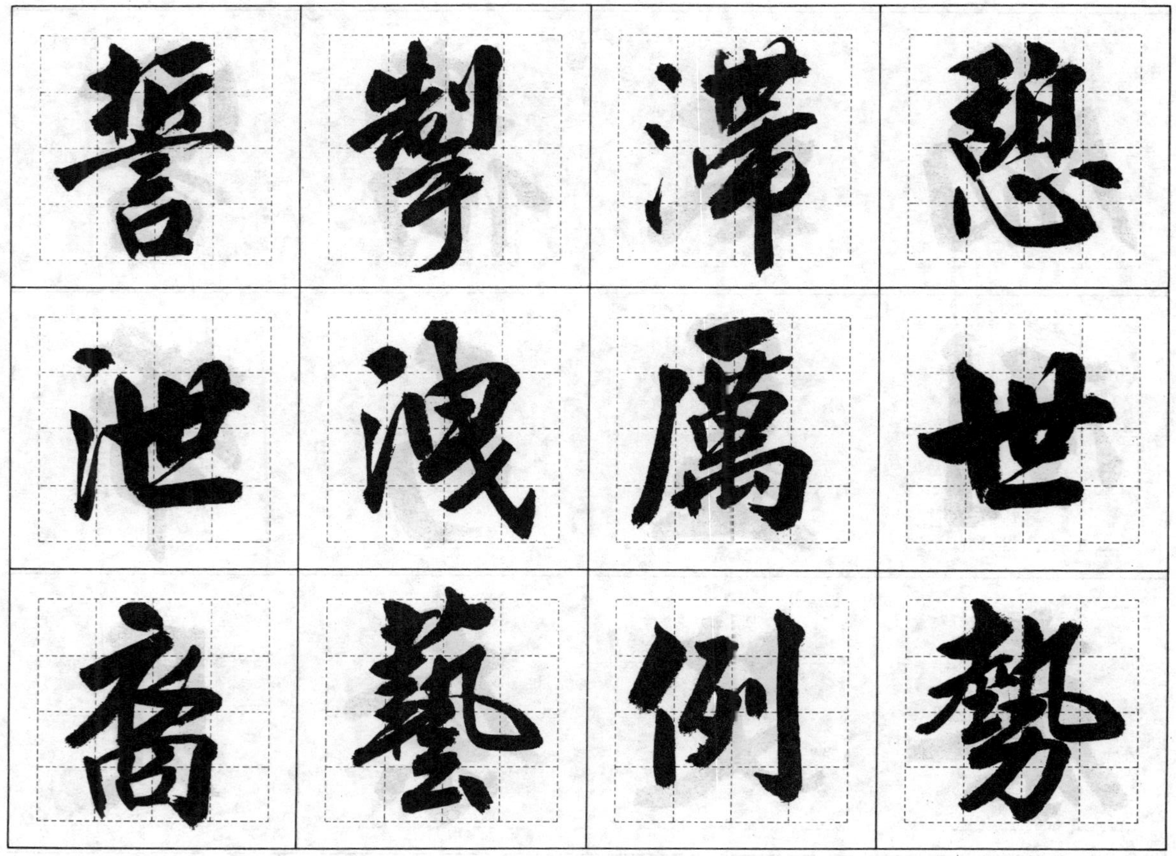
憩
世
勢
滯
厲
例
摯
洩
藝
誓
泄
裔

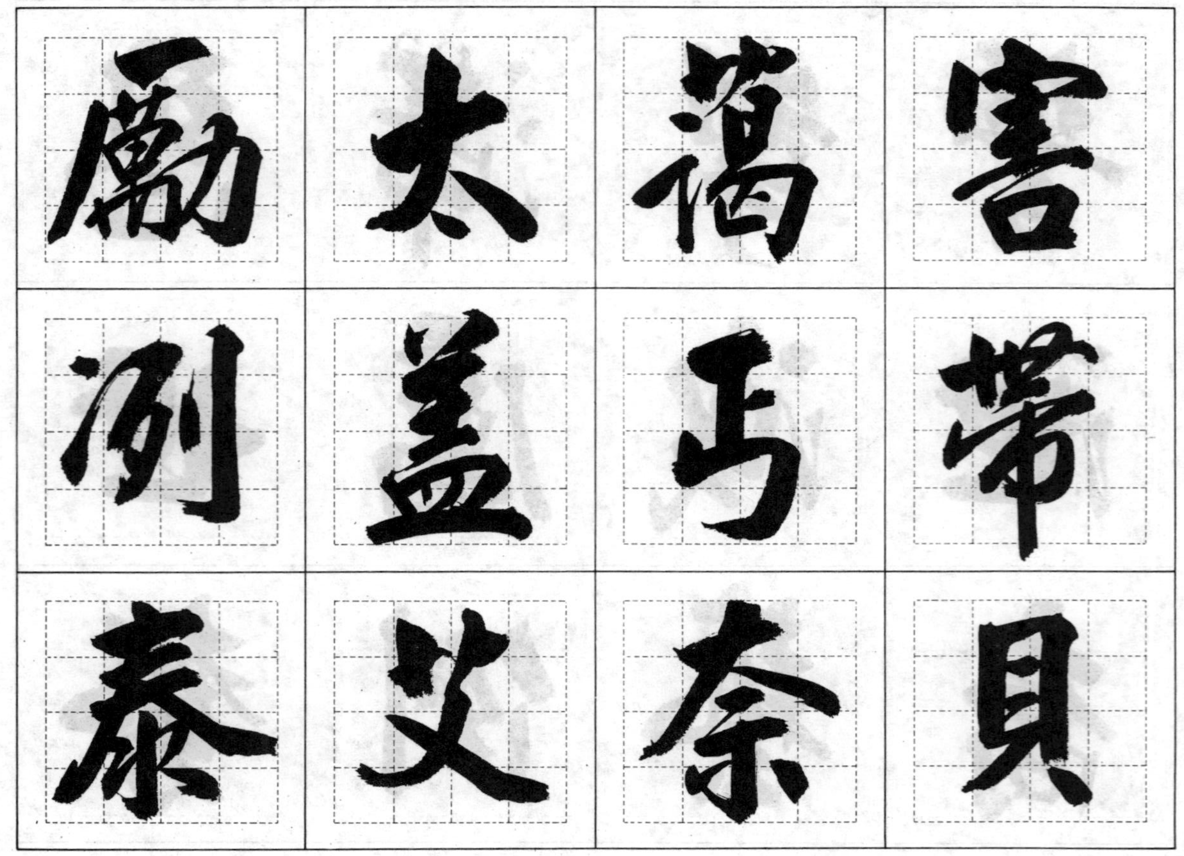
厲太禍害
例蓋馬帶
泰艾奈貝

沛 膾 掛 怪
會 外 懈 壞
兑 賴 債 介

快 敗 隊 妹
扒 話 佩 莓
邁 塞 背 臟

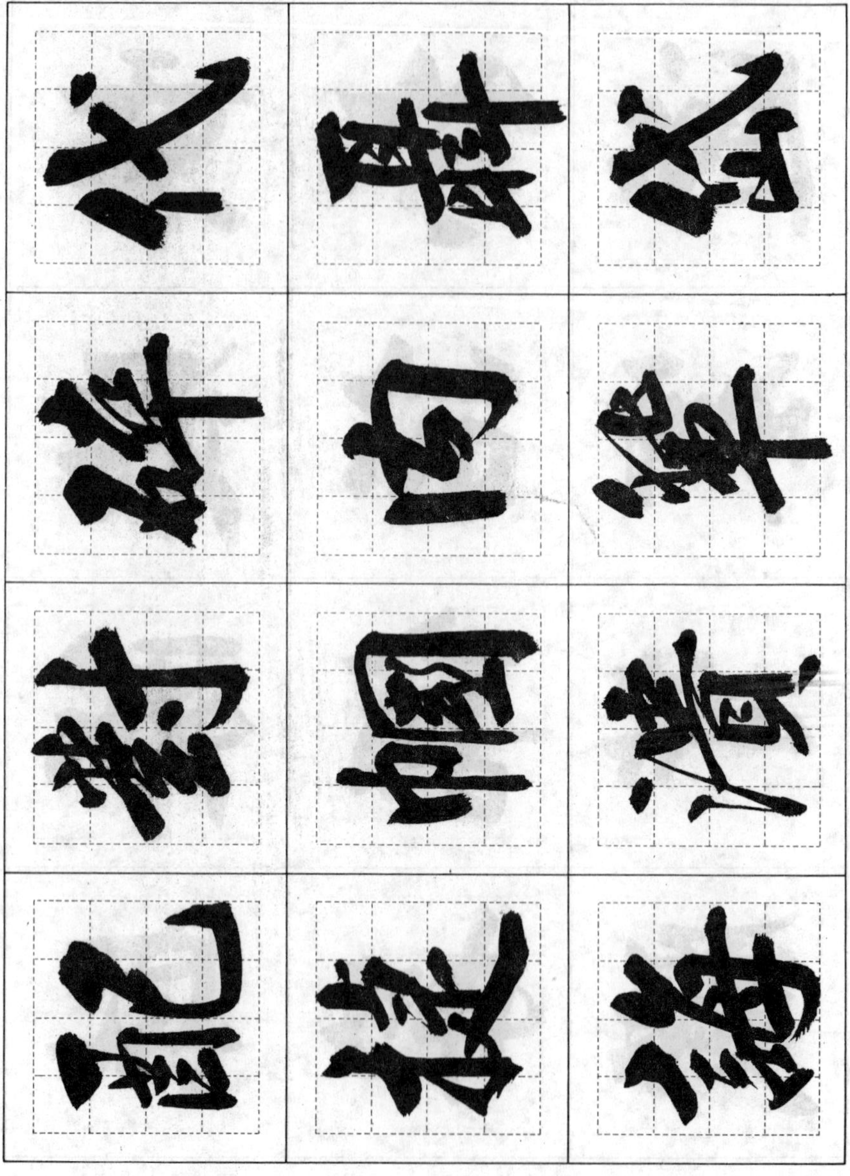

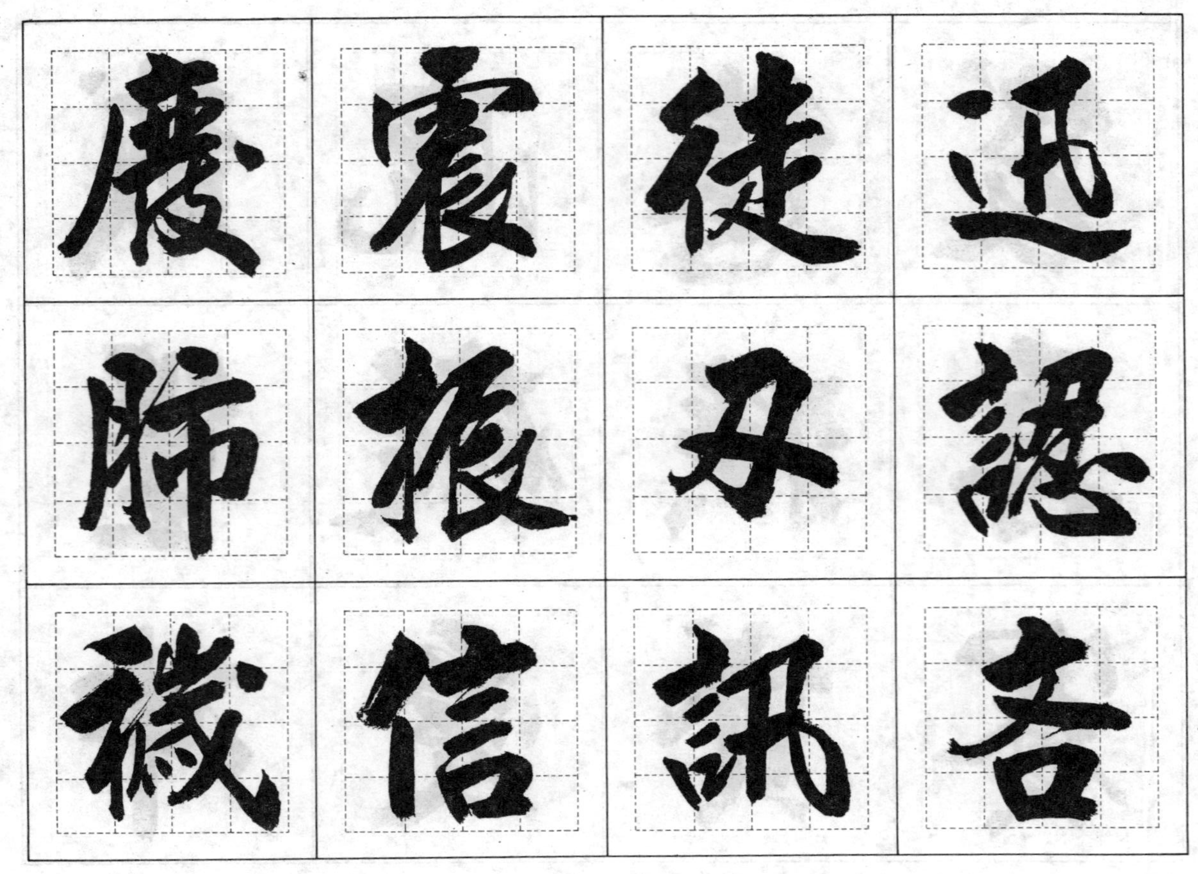
慶
震
徒
迅
肺
振
認
識
信
訊
吾

遴 慎 晋 僅
燐 陣 進 襯
礦 距 鎮 印

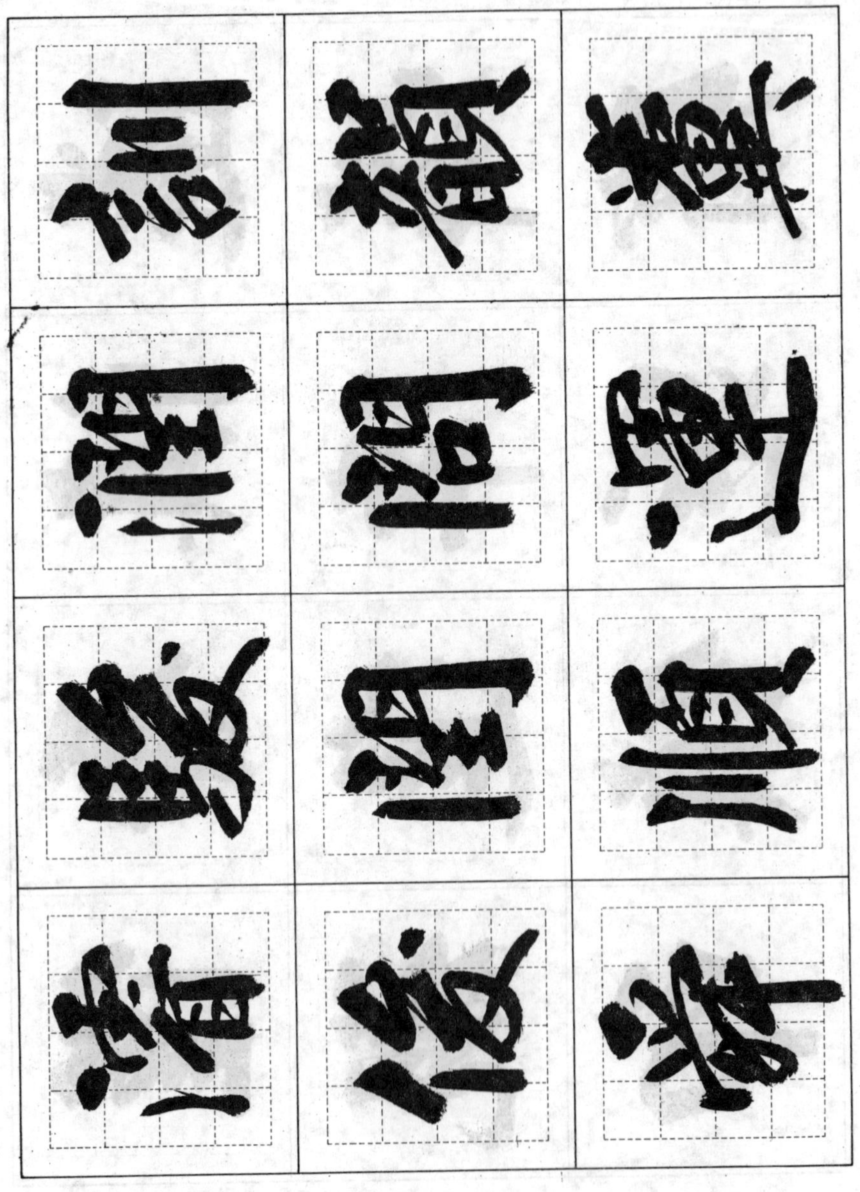

副
幹
建
勸
萬
万
願
販
券
奮
怠
返

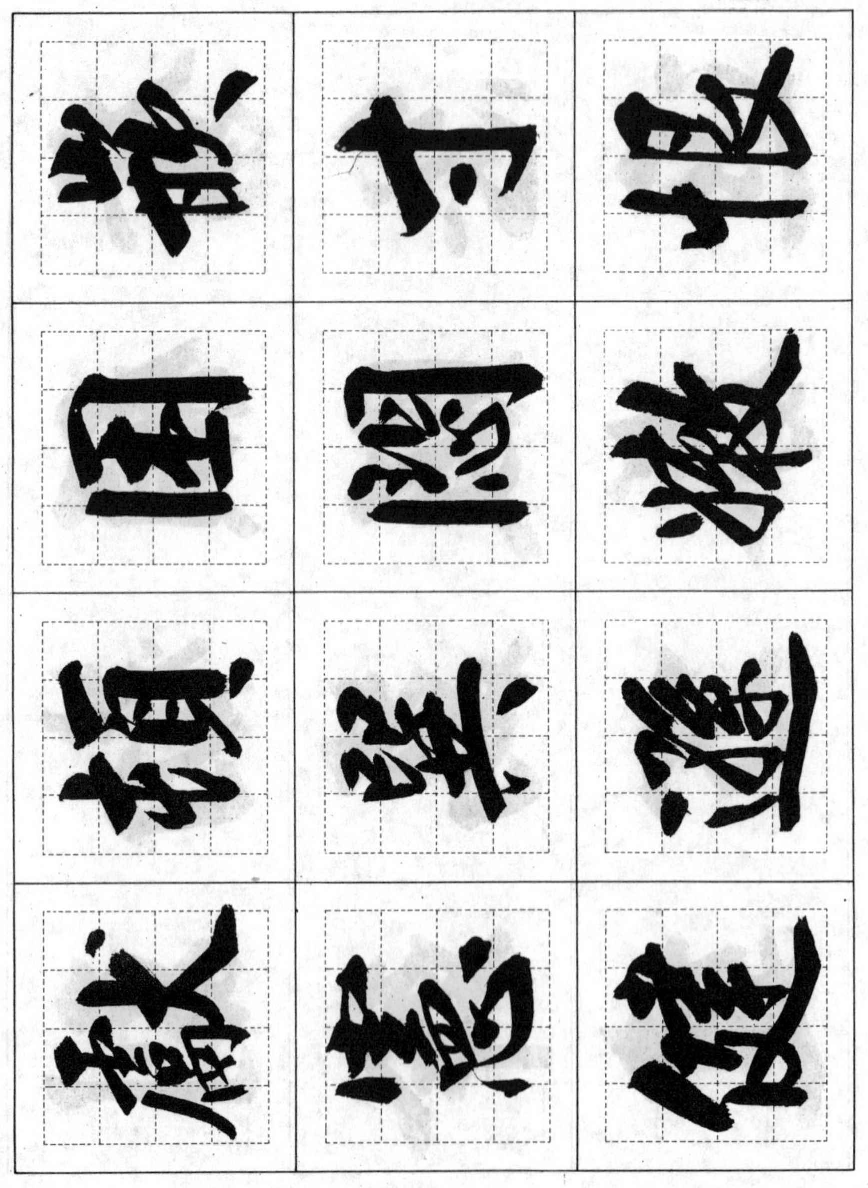

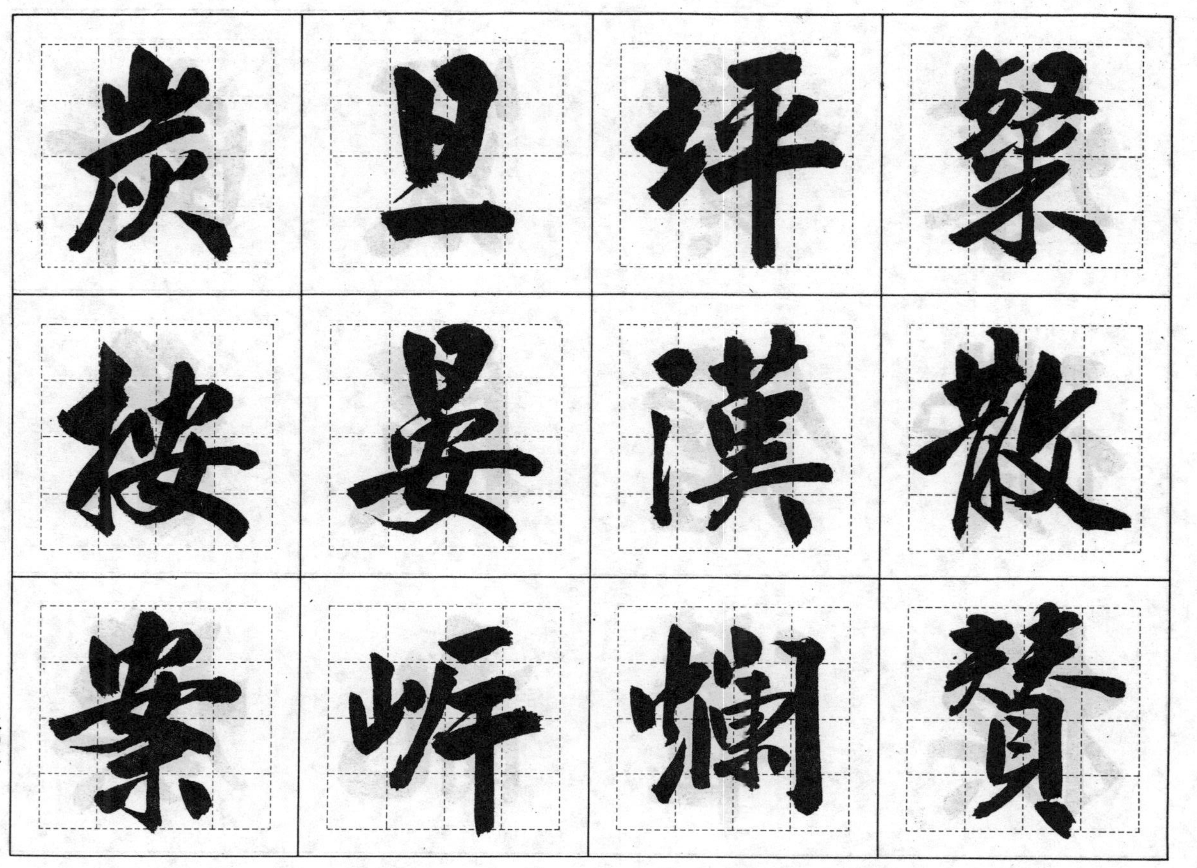

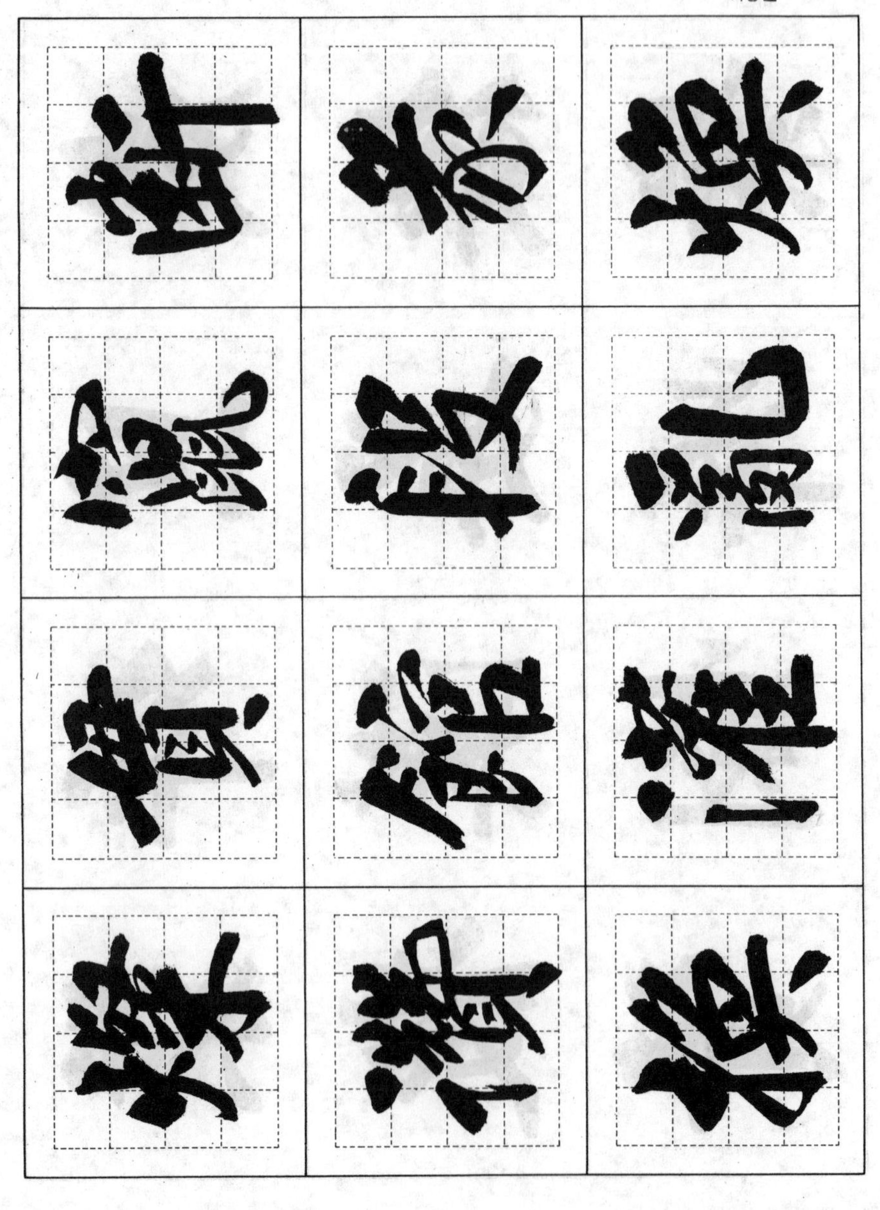

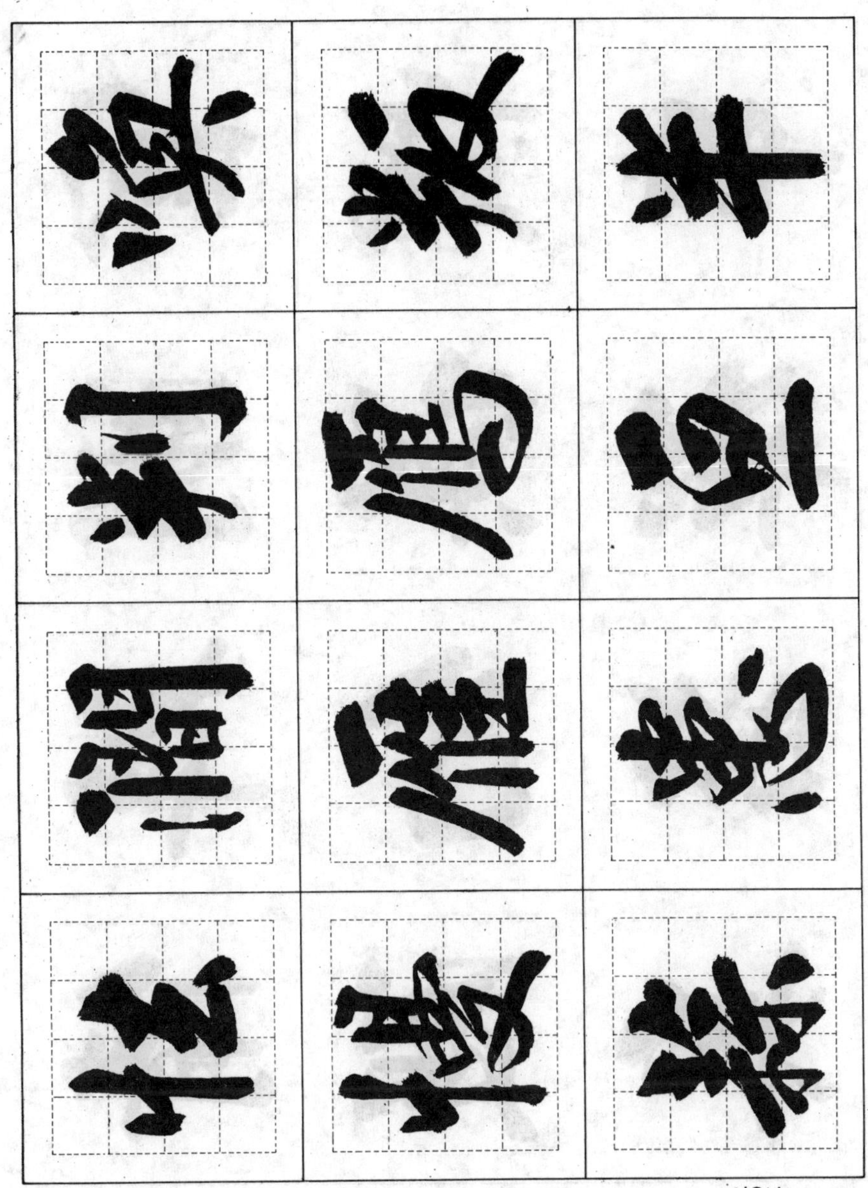

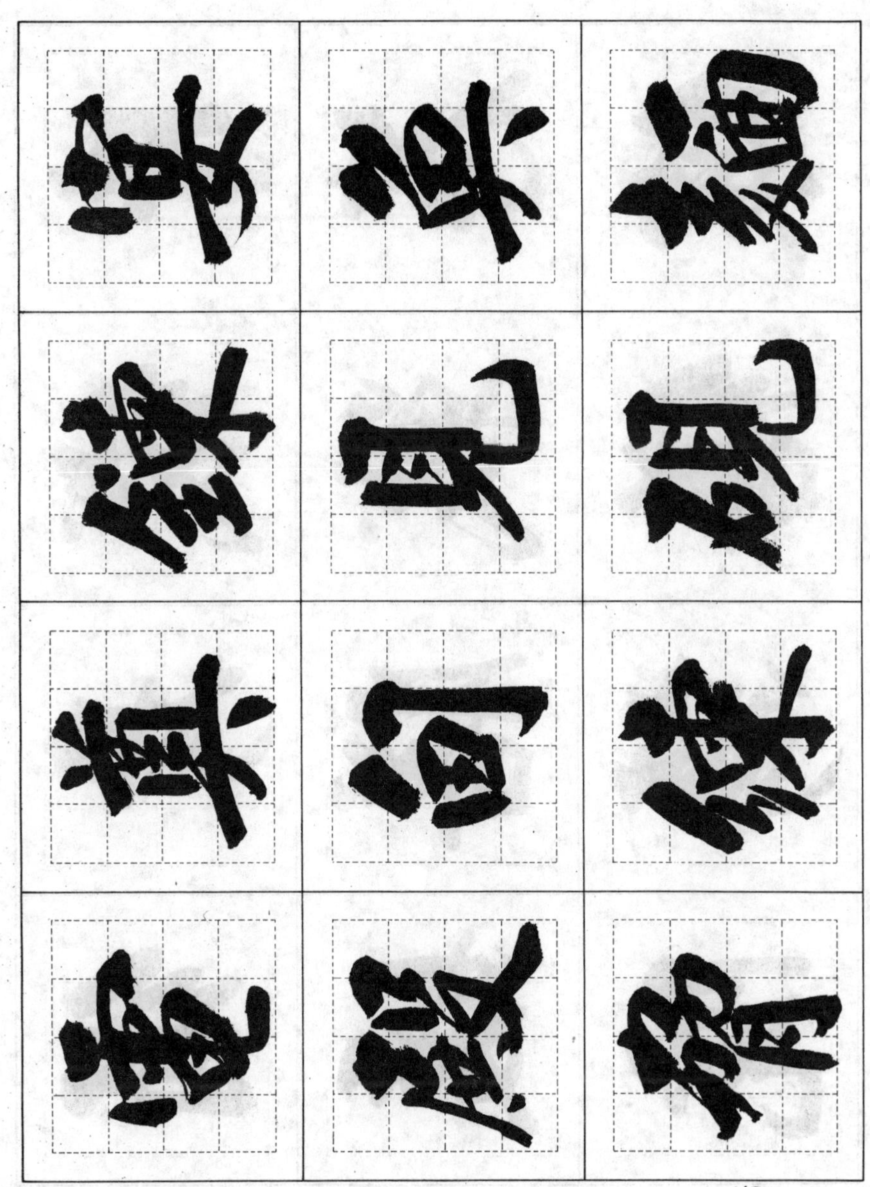

賤 變 眷 面
韉 饌 戀 箭
遍 羨 甲 框

告
後
傲
導
盜
到
龍
歸
号
爆
親
鬧

簡瀑個
奧靠竈
暴冒報
帽澳造

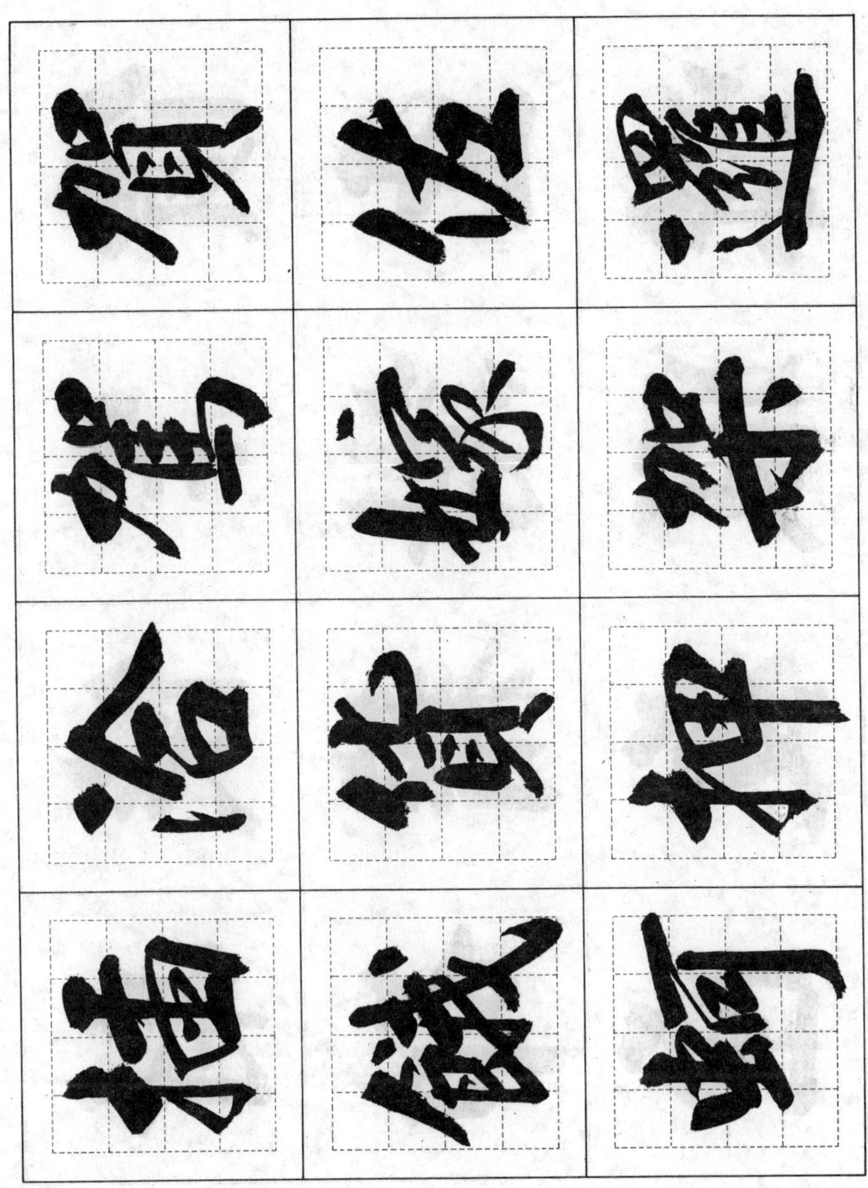

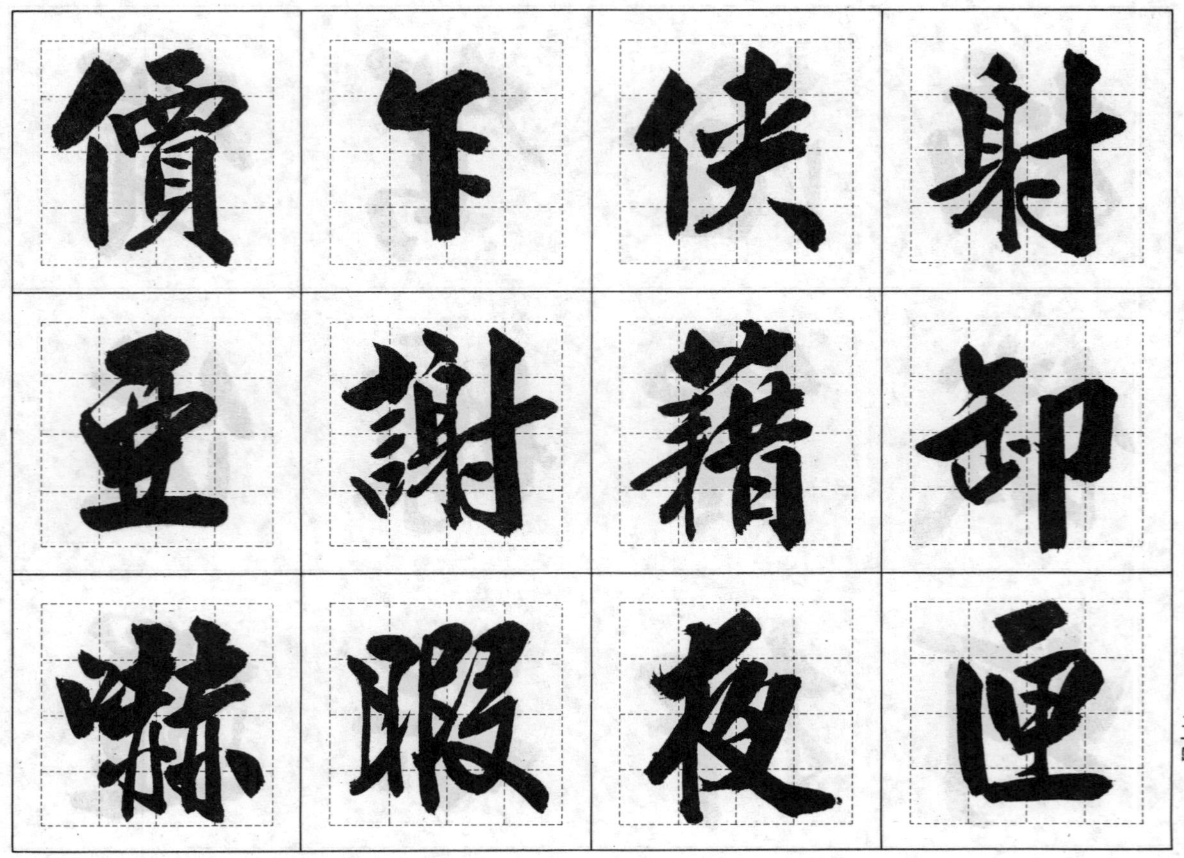
價 乍 俠 射
亞 謝 藉 卻
嚇 瑕 夜 匣

灾 峡 霸 化
蔗 赦 怕 靶
借 麝 灞 蝶

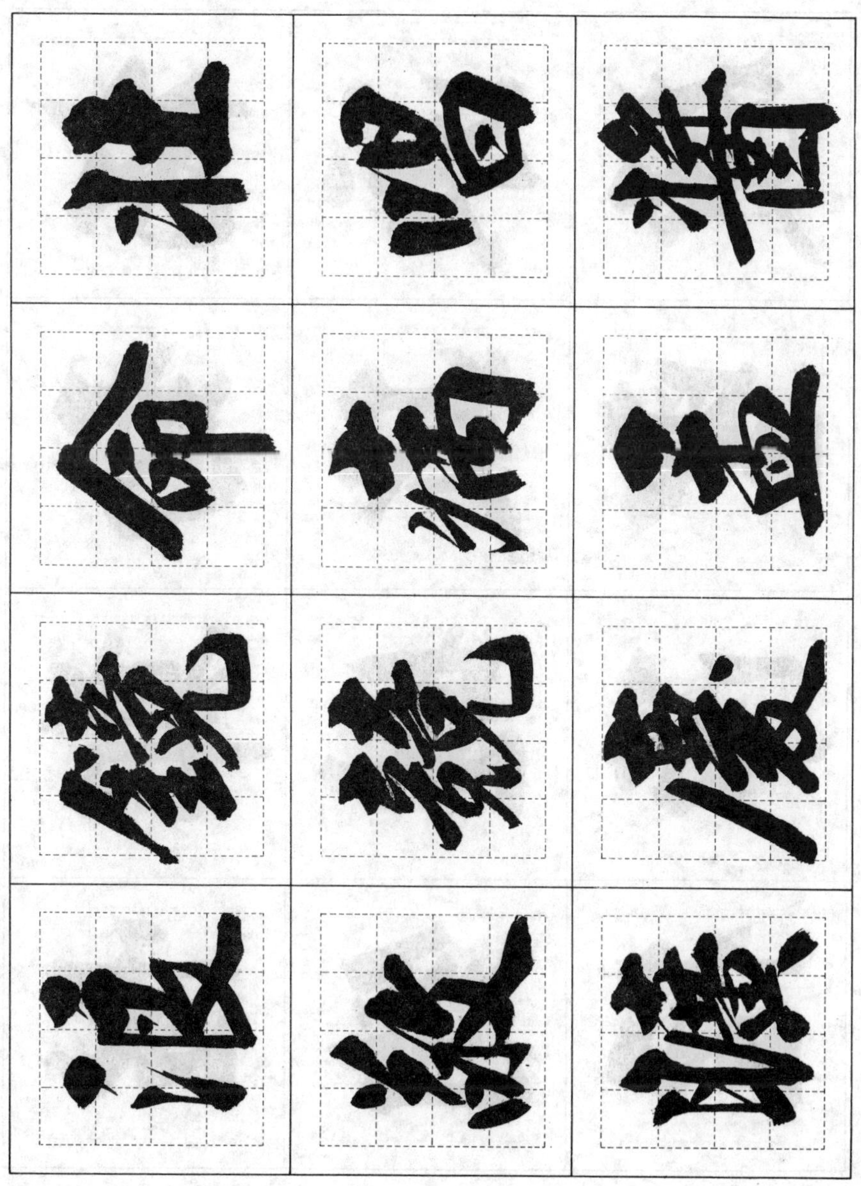

秀繡就
候後燮
授貼覆
複柚售

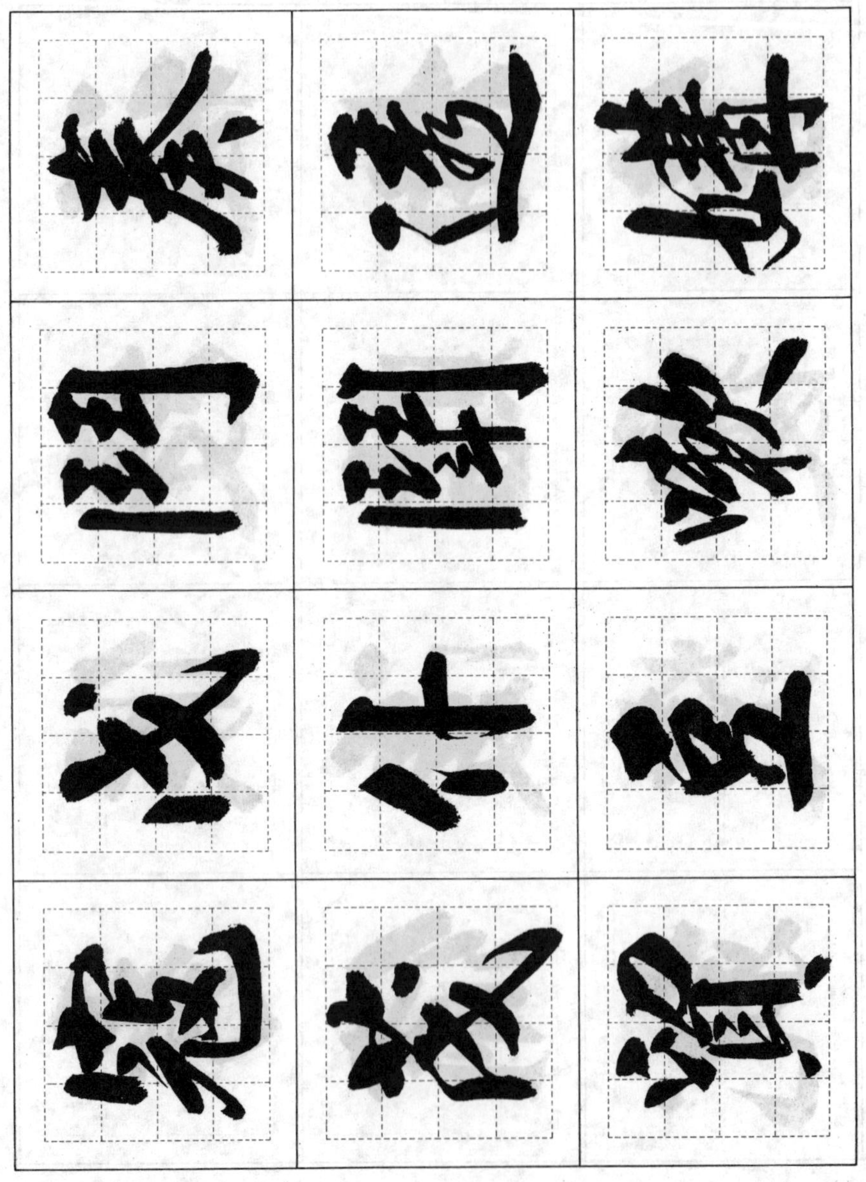

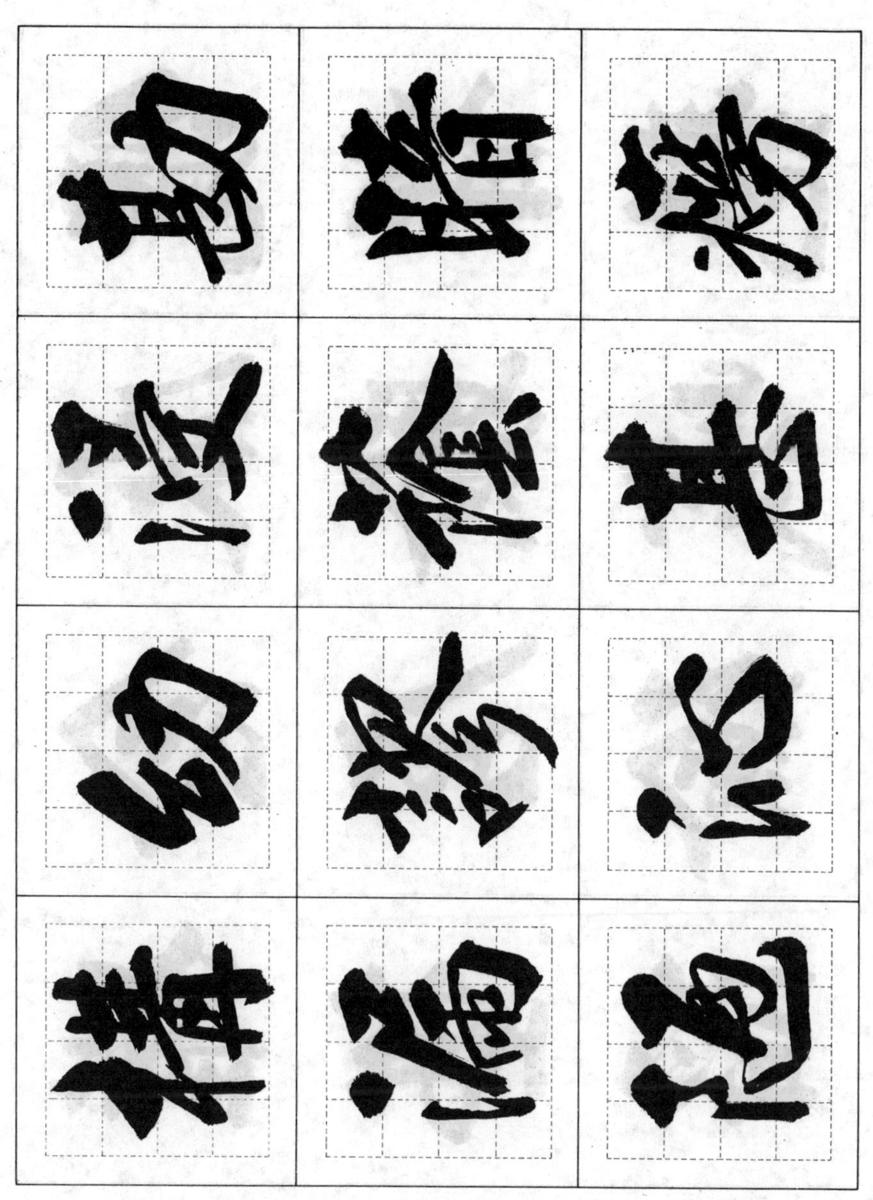

纜 厭 念 罐
暫 驗 店 墊
艷 峨 殮 陷

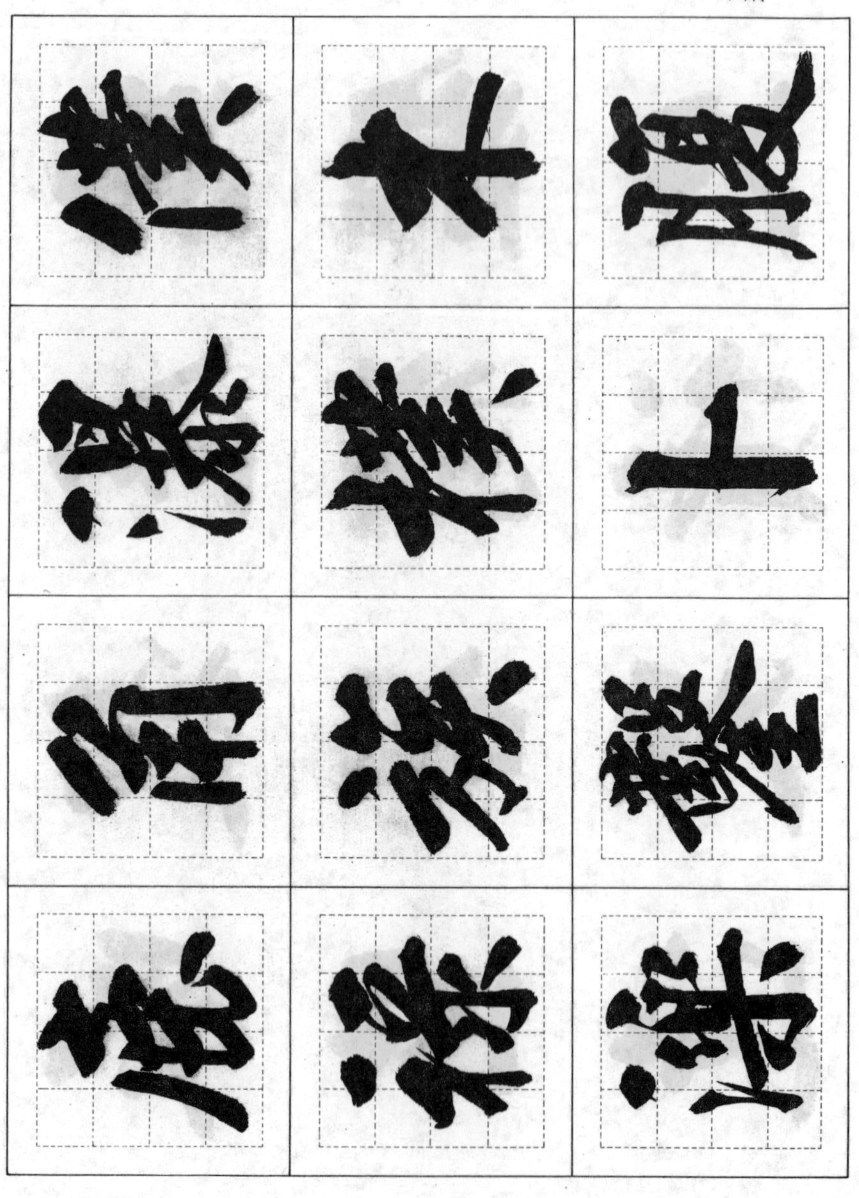

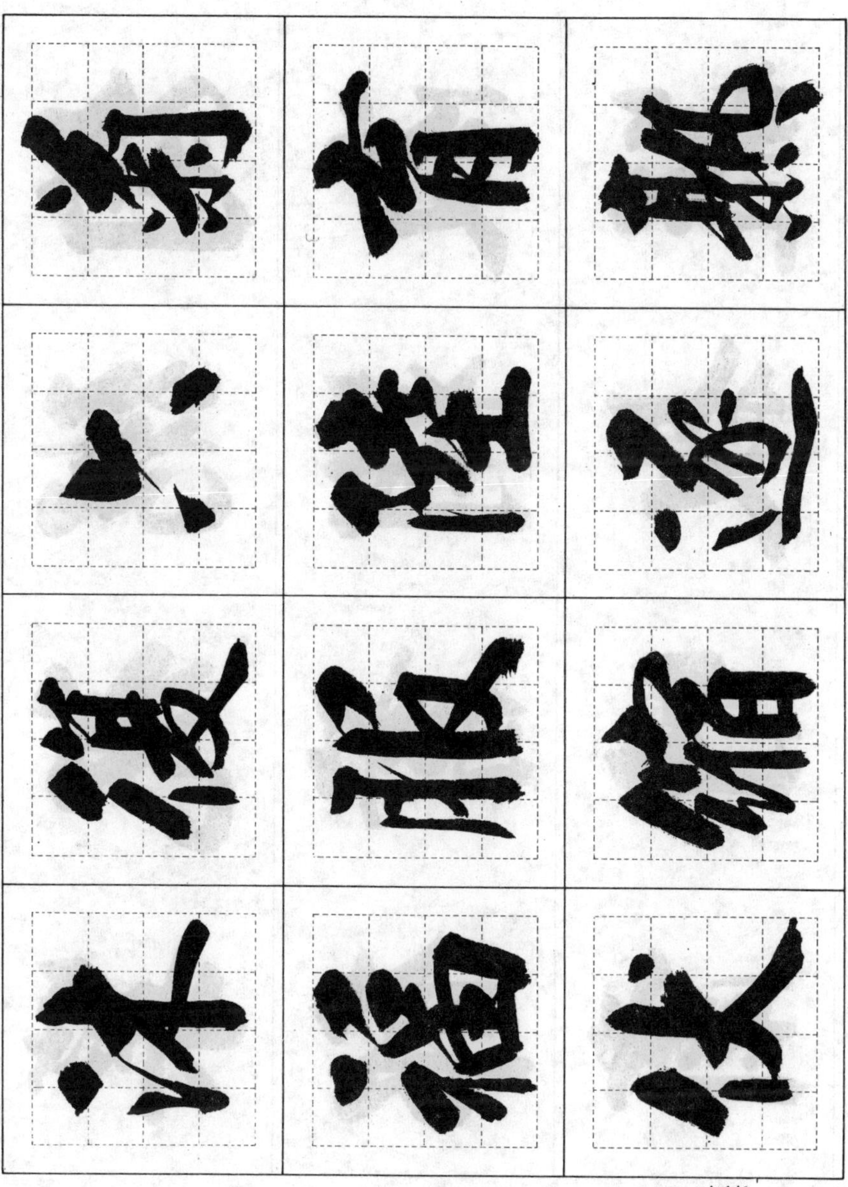

築郁肅
祝蓄竹
粥鞠叔
掬淑毓

督
酷
燭
沃
毒
篤
目
睦
牧
玉
宿
風

屬局東錄
獄蜀浴曲
旭辱欲足

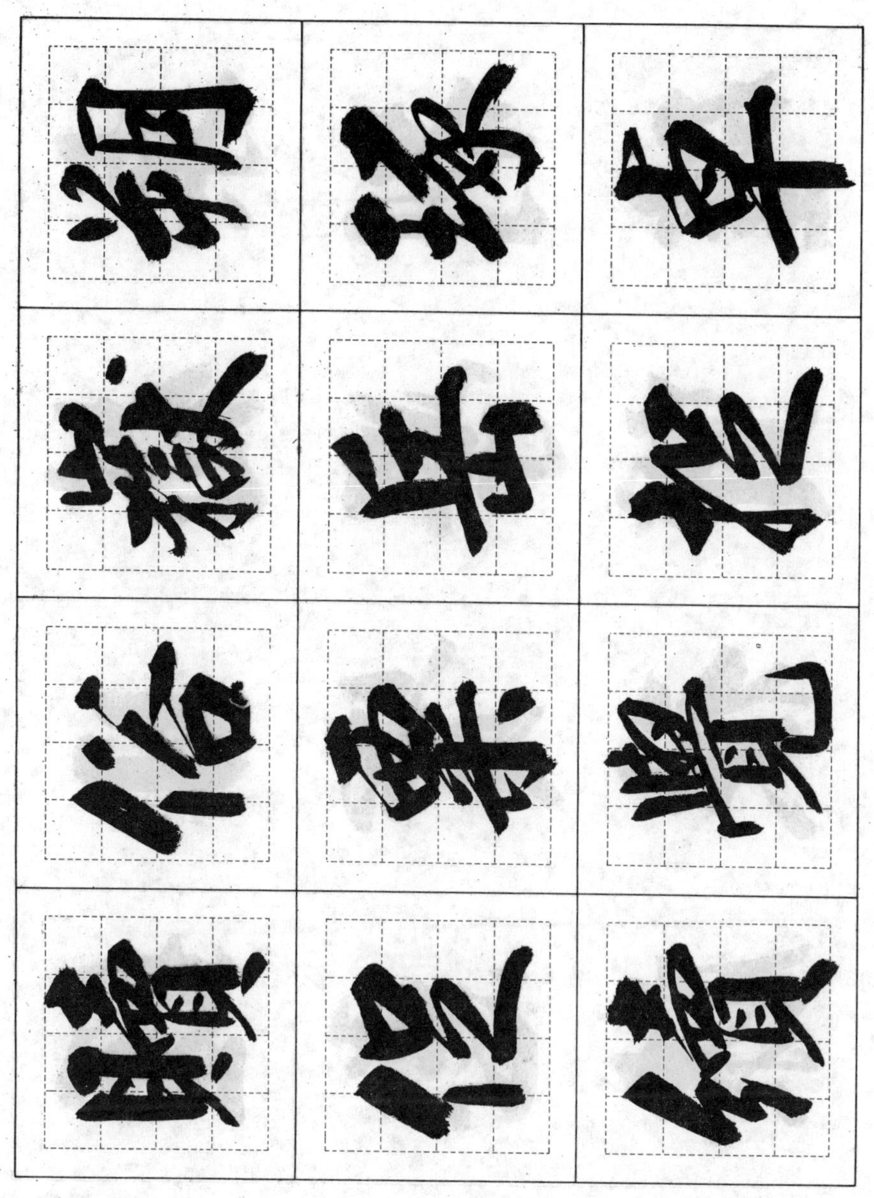

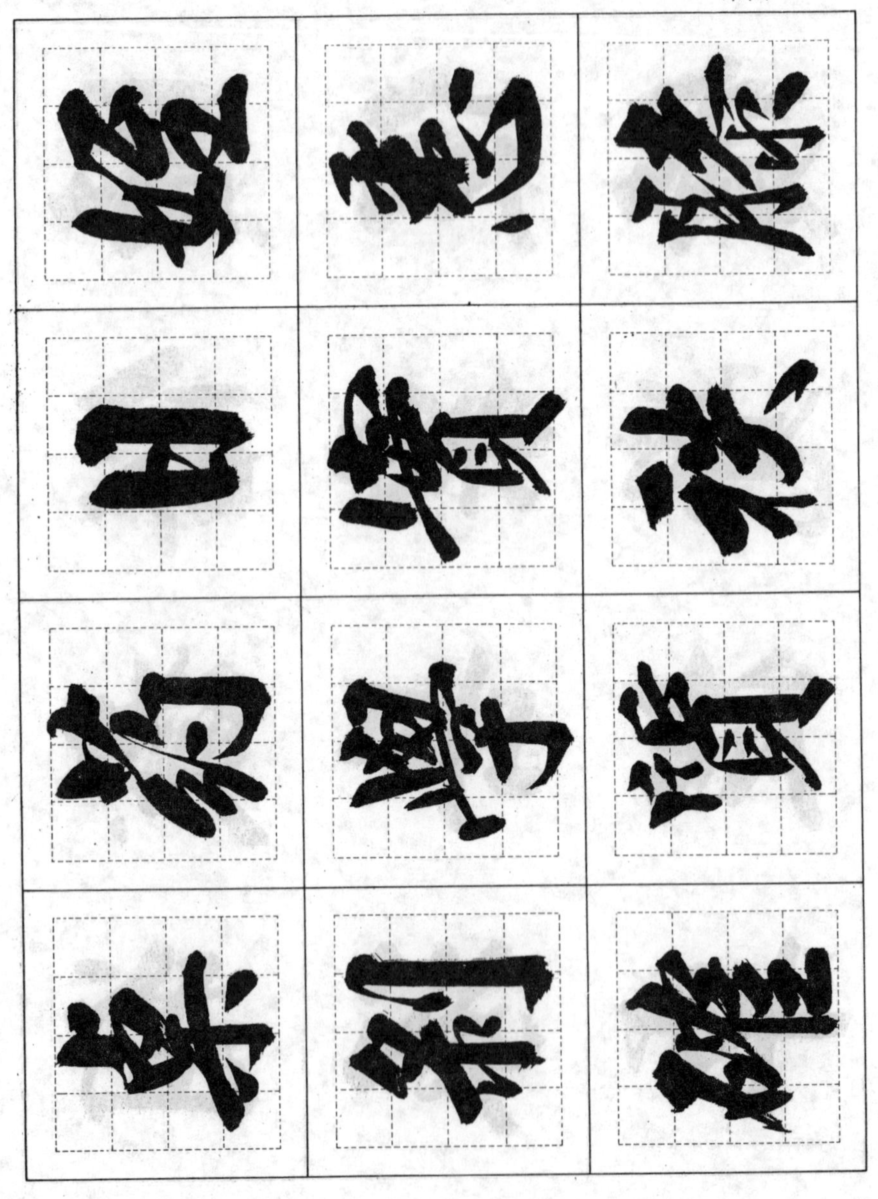

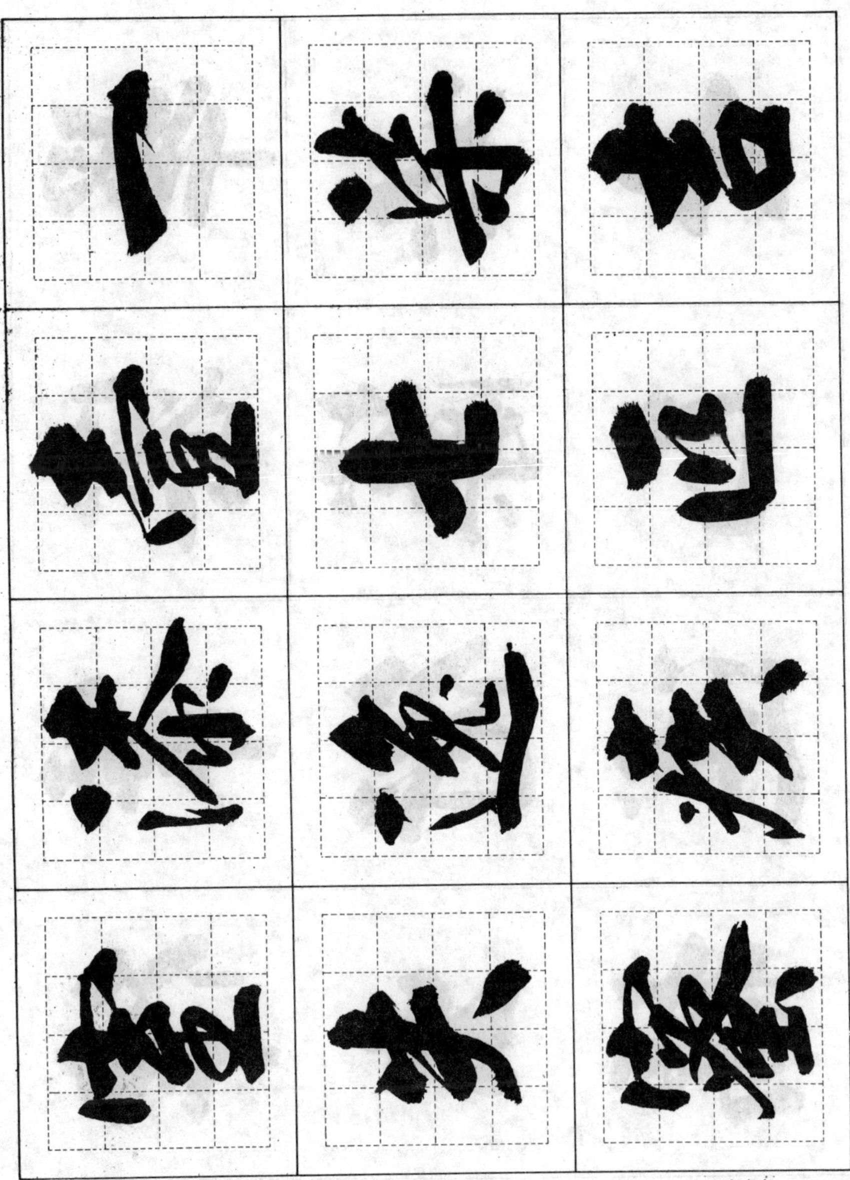

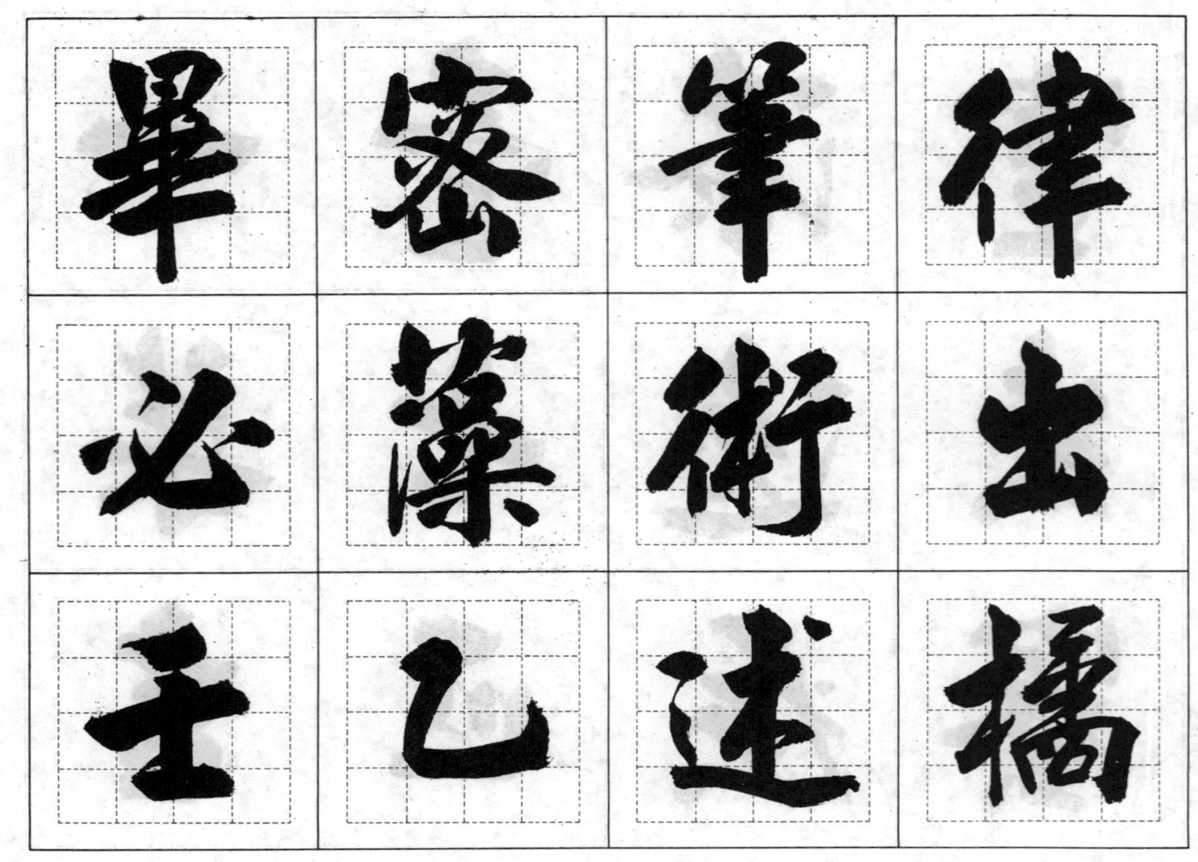
畢 密 筆 律
必 藻 術 出
王 乙 述 橘

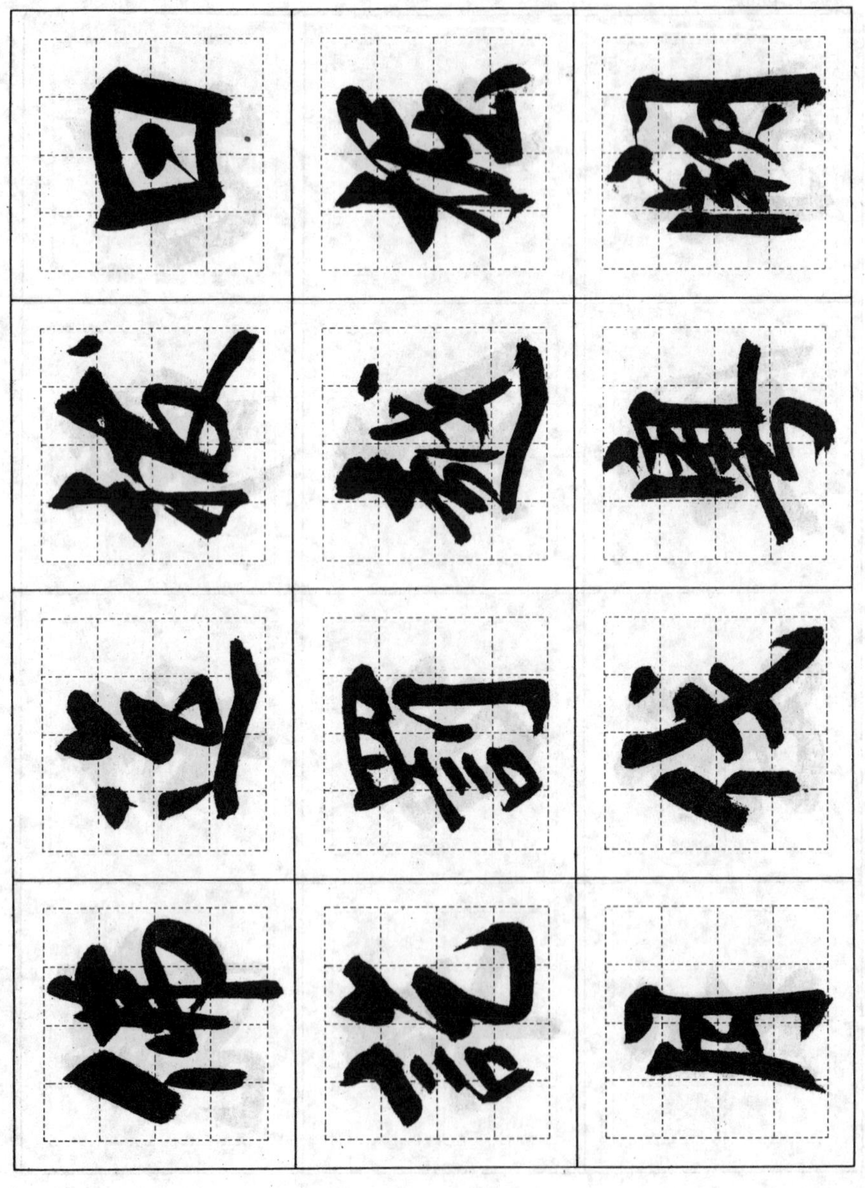

歿
滑
突
沒
骨
勃
發
歇
碣
髮
襪
謁

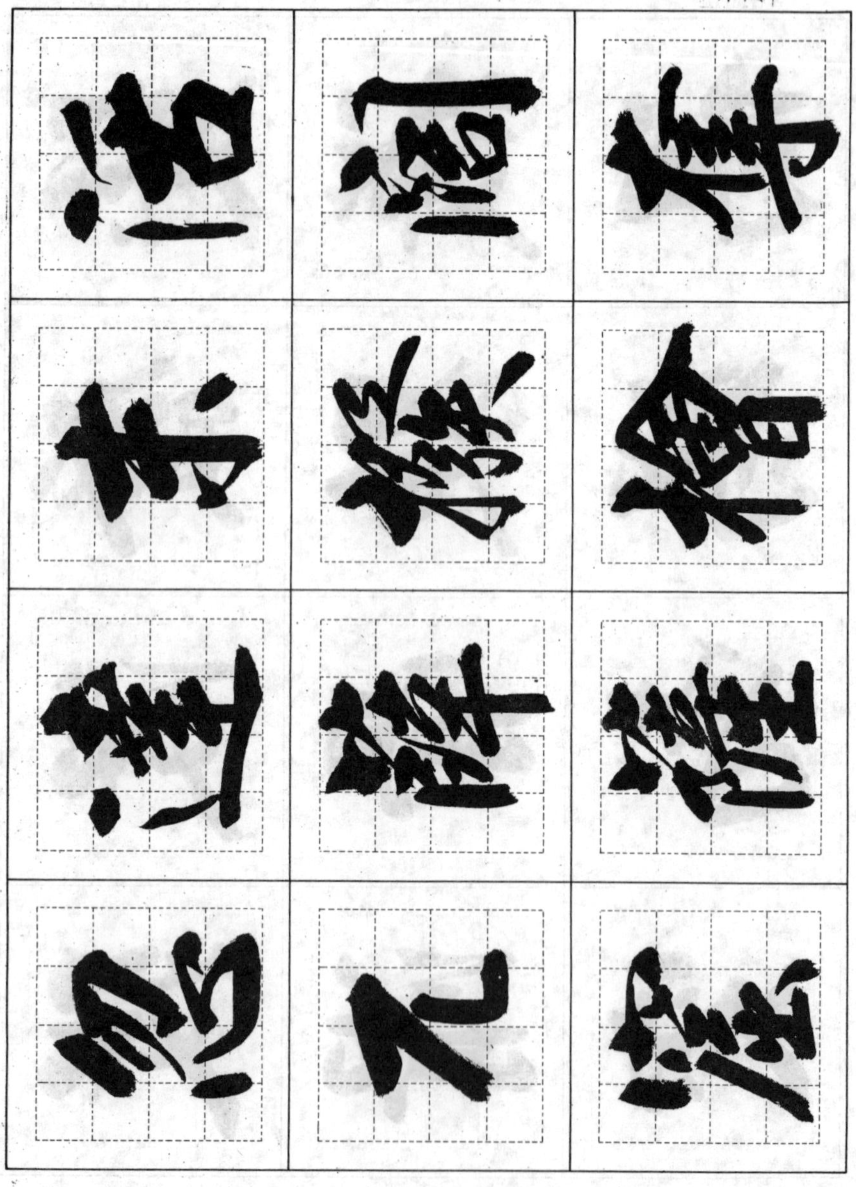

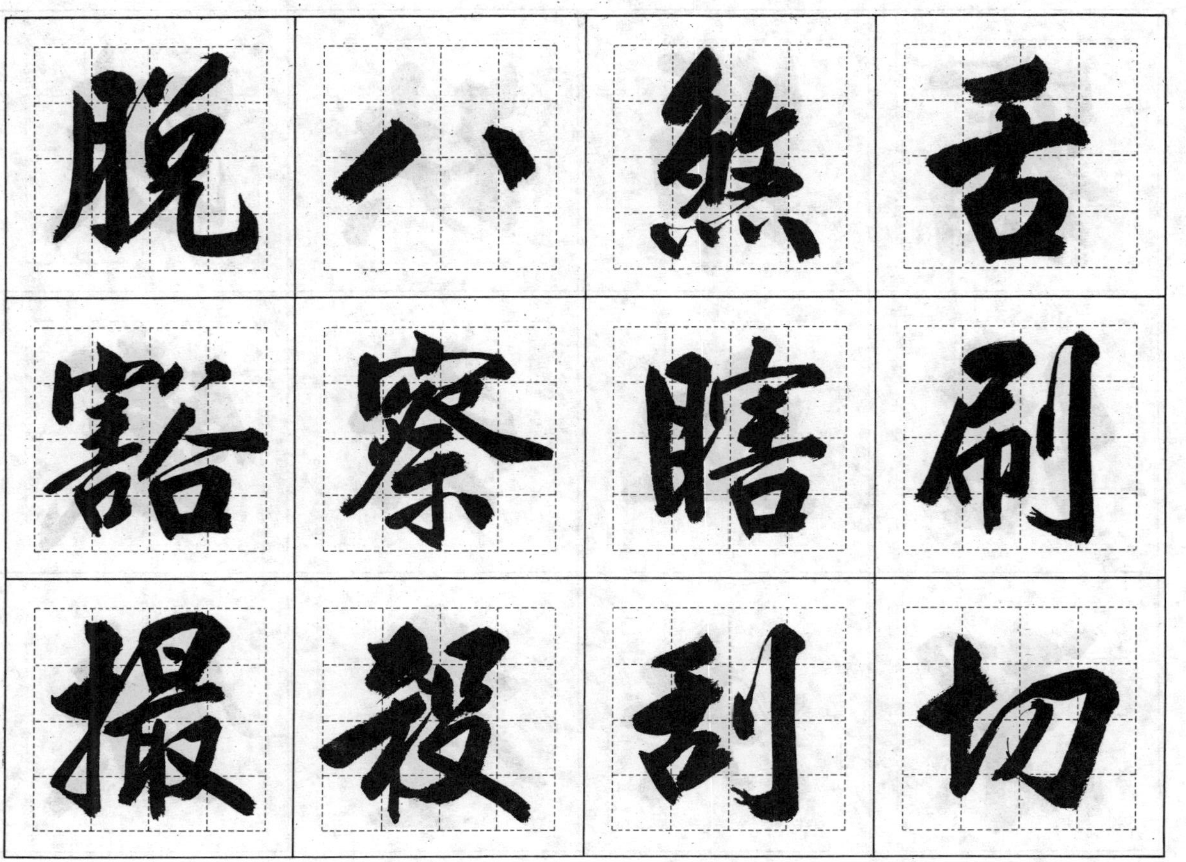
舌
刷
切
煞
瞎
刮
八
察
殺
脫
豁
撮

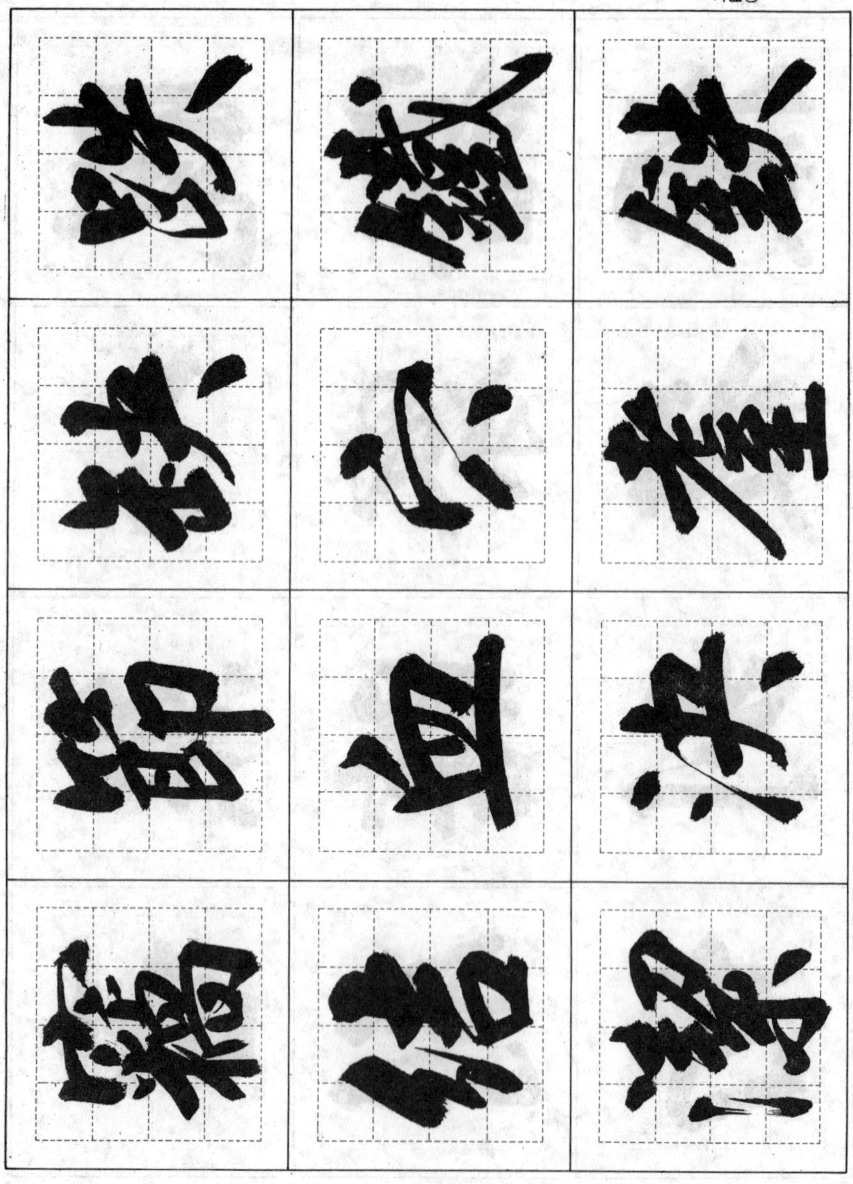

徽設藥弱
冊略酌約
子脚若削

雀 短 幕 絡
縛 鐸 漠 樂
著 姬 落 託

索涸博
疊滔溥
格魄洛
酪鄂搏

鶴 諾 白 廼
扶 霍 柏 戟
昨 郭 帛 額

劃責策
獲鈕碼
擇麥脈
客泊宅

赤
石
隻
液
適
尺
弄
腹
釋
亦
譯
易

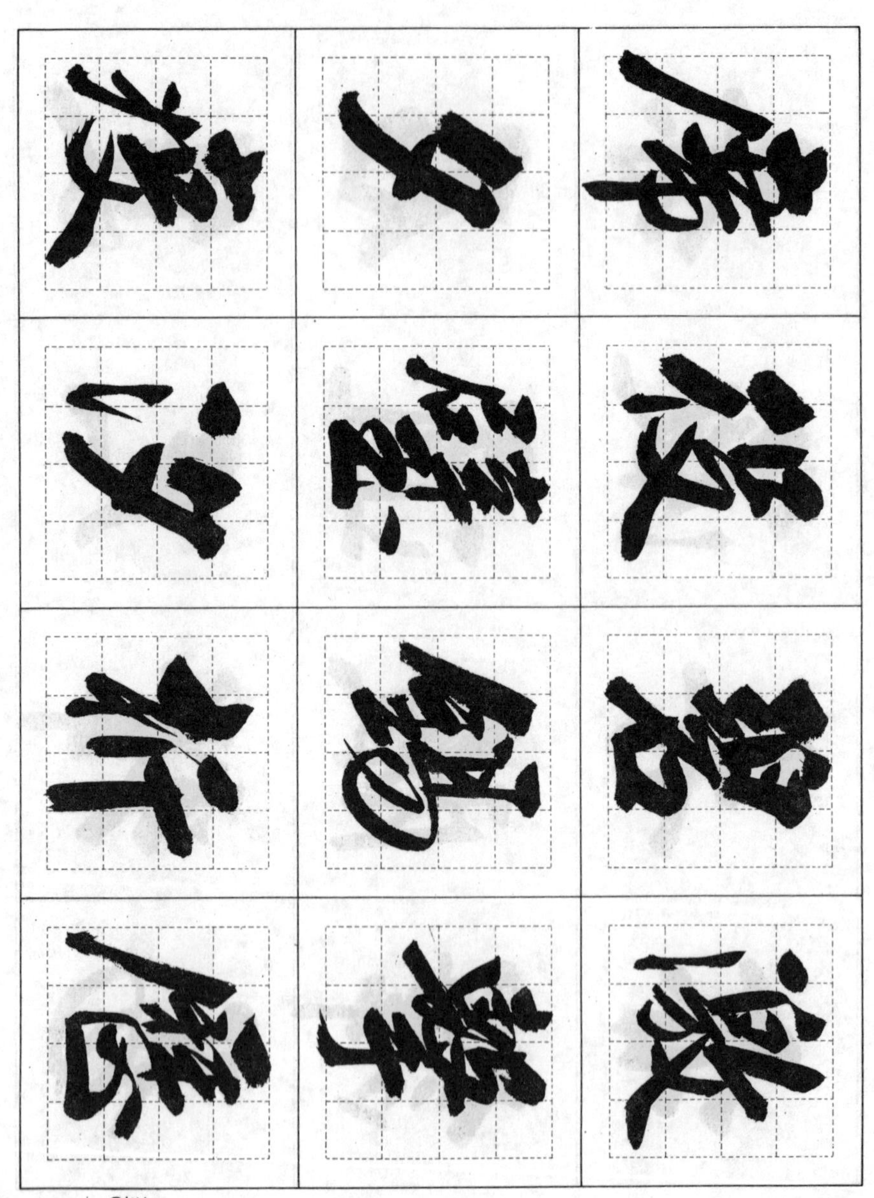

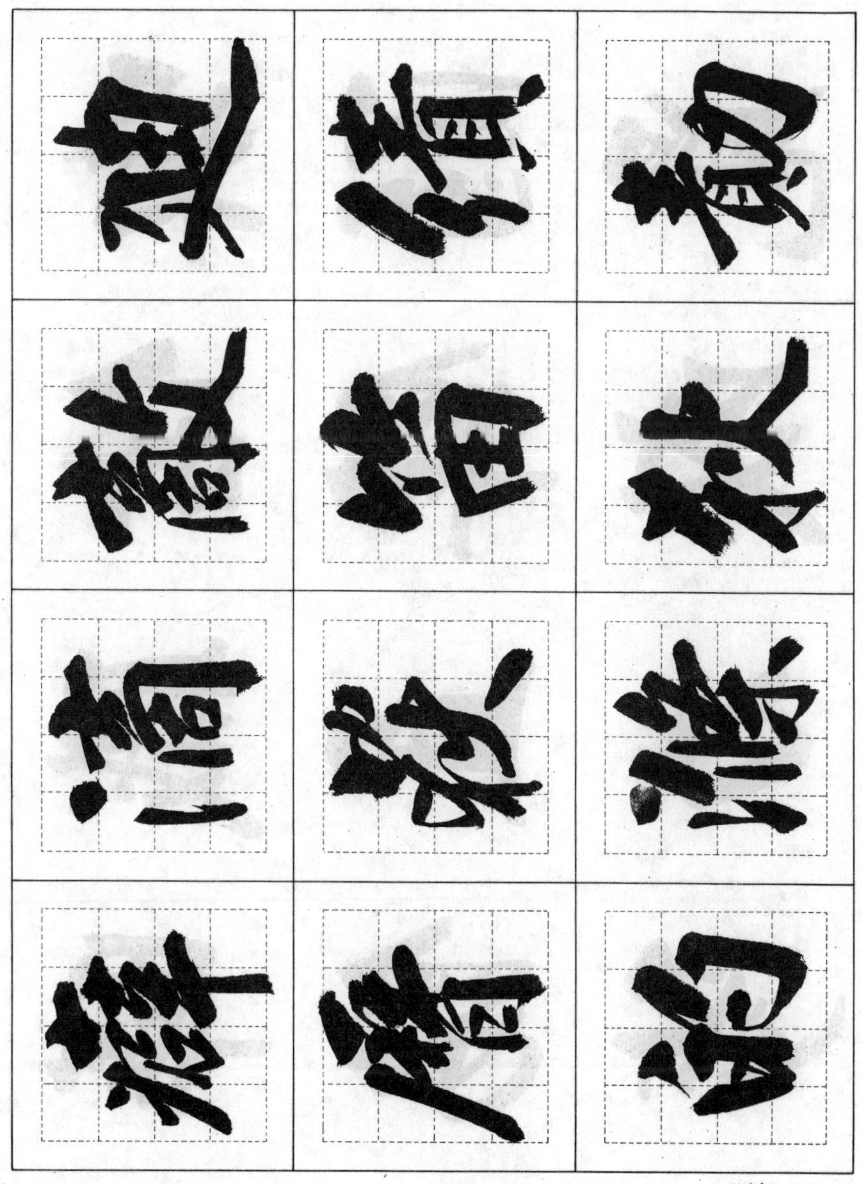

國緝十
塊墨北
黑默賊
克刻特

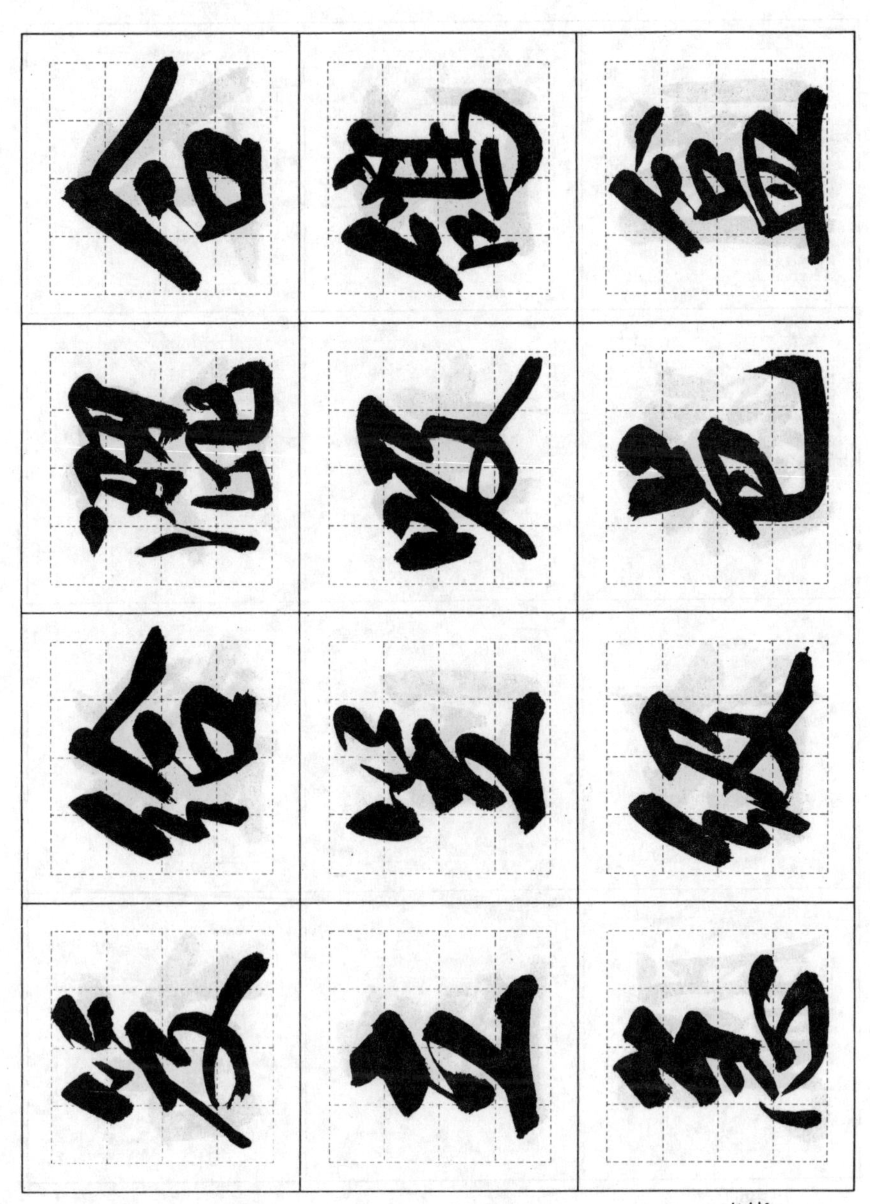

騰 塔 葉 楫
蠟 閘 接 攝
鉀 睫 涉

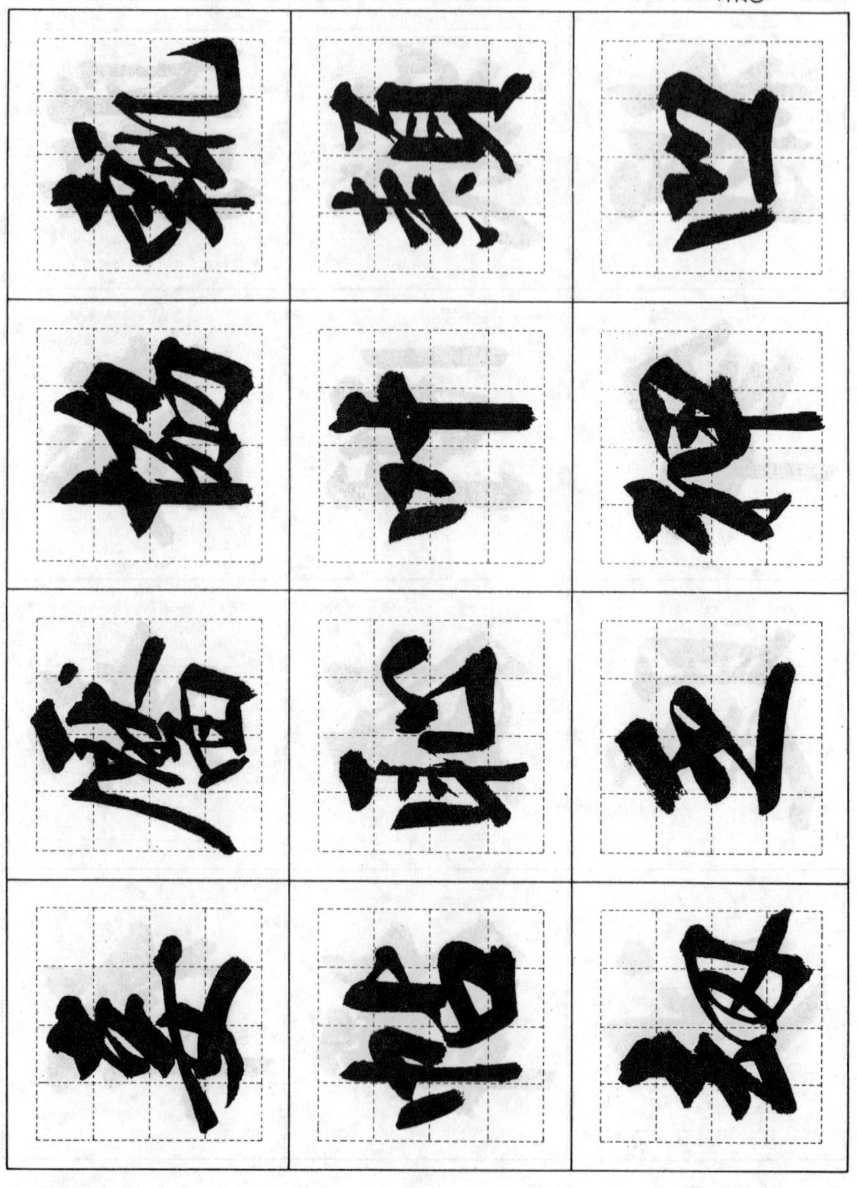

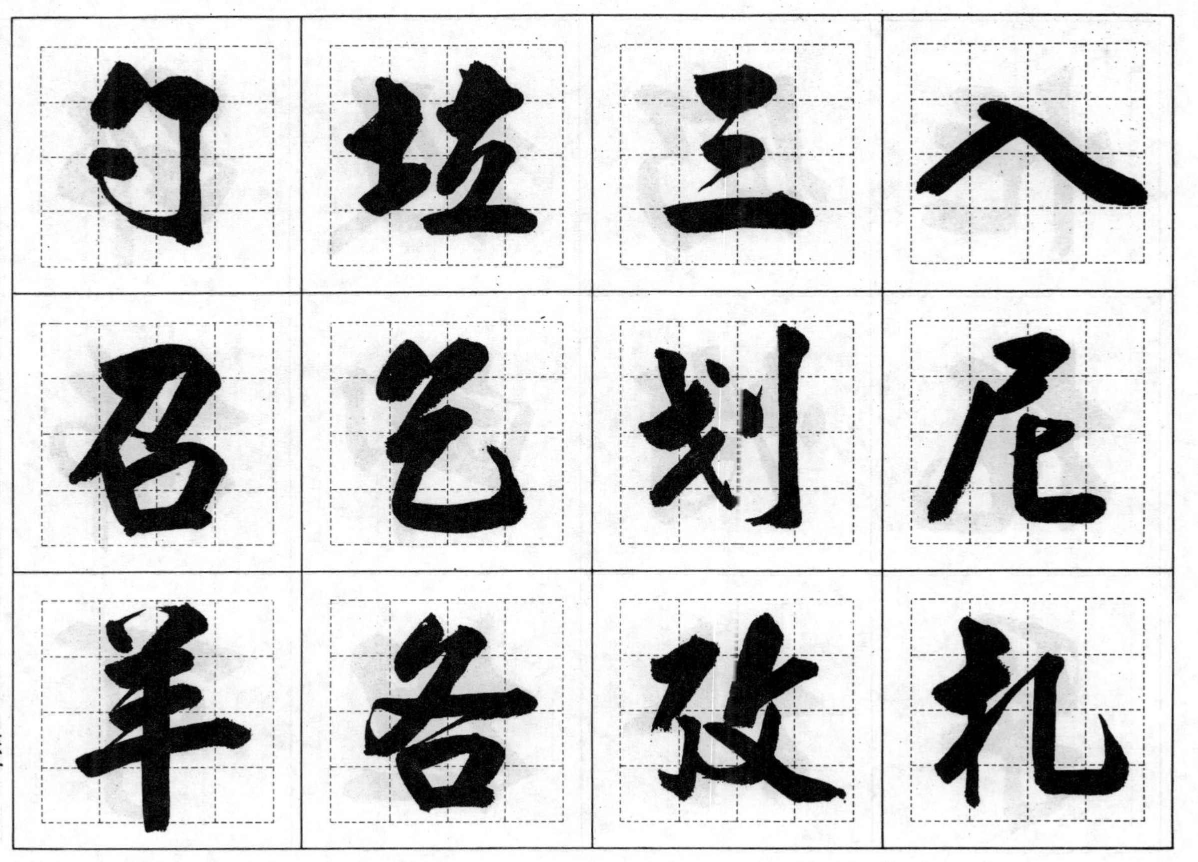

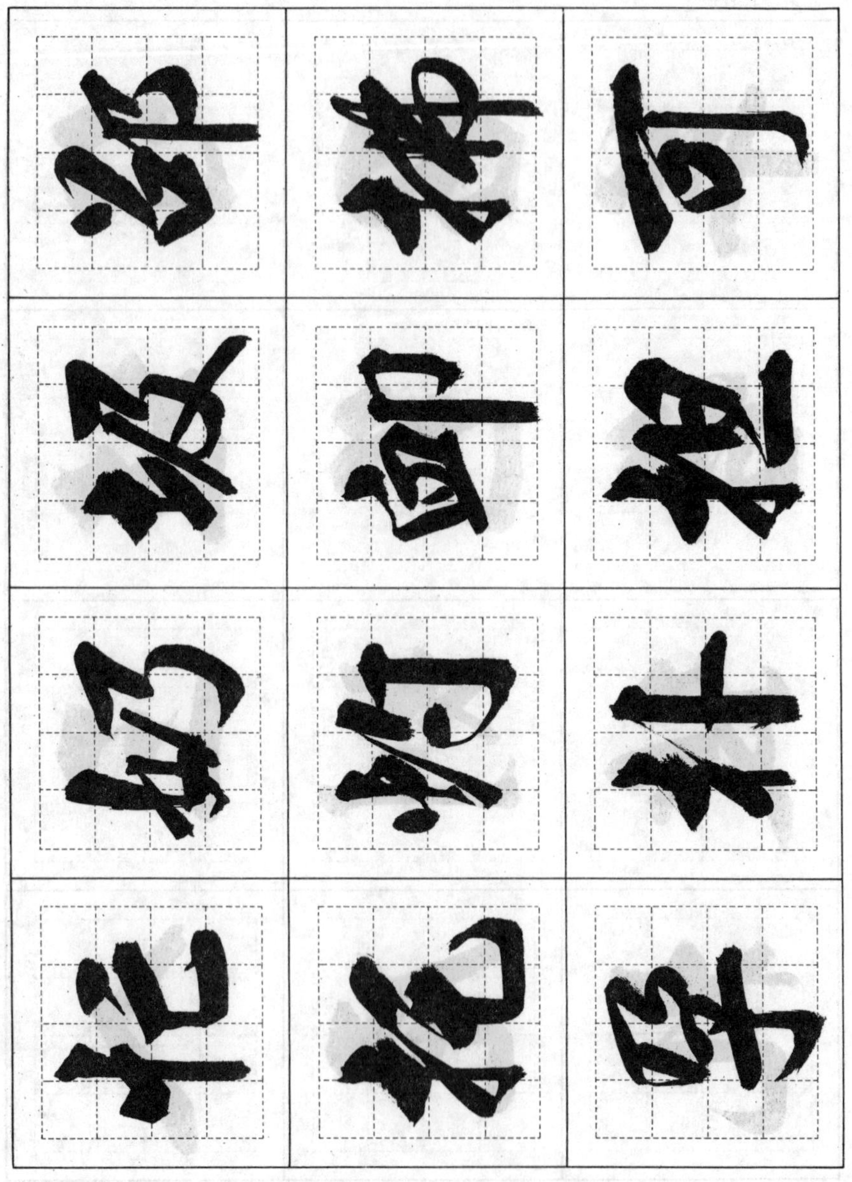

弔伙夹
时号座
考百阡
加肉肌

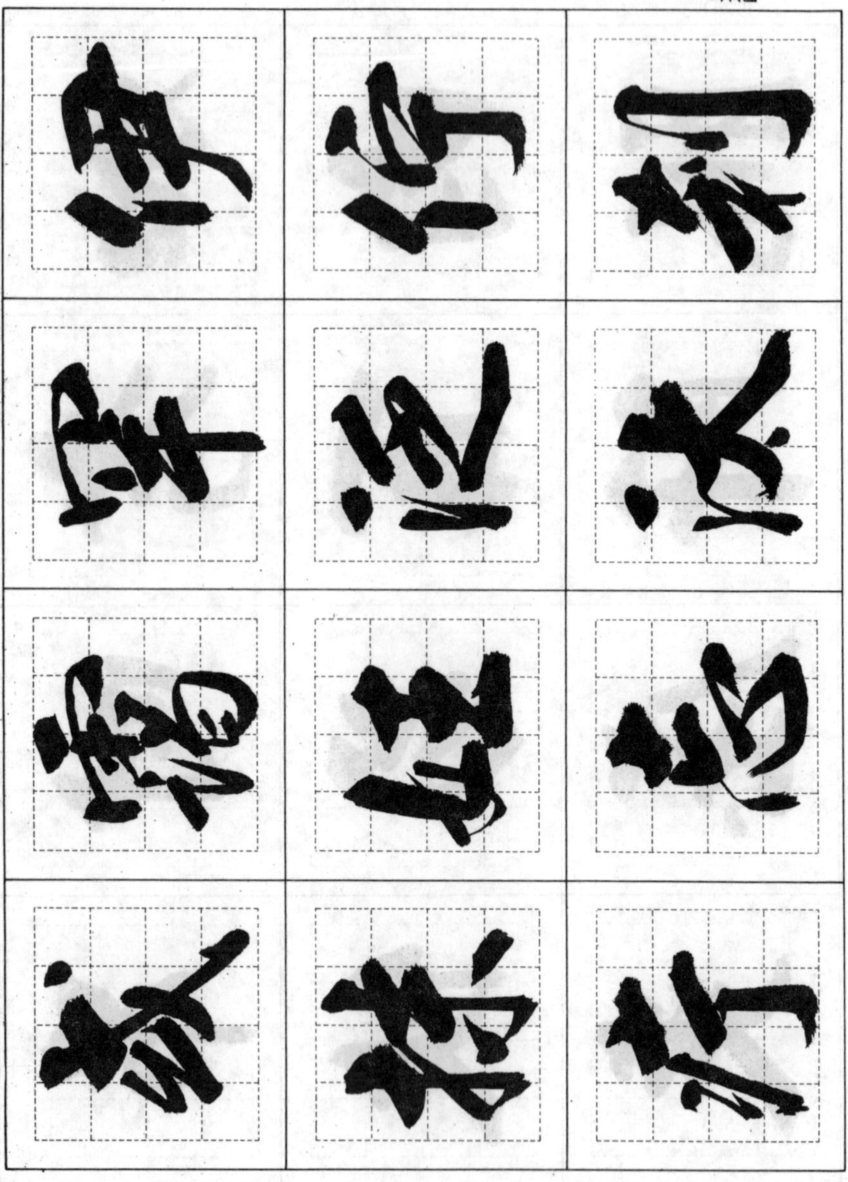

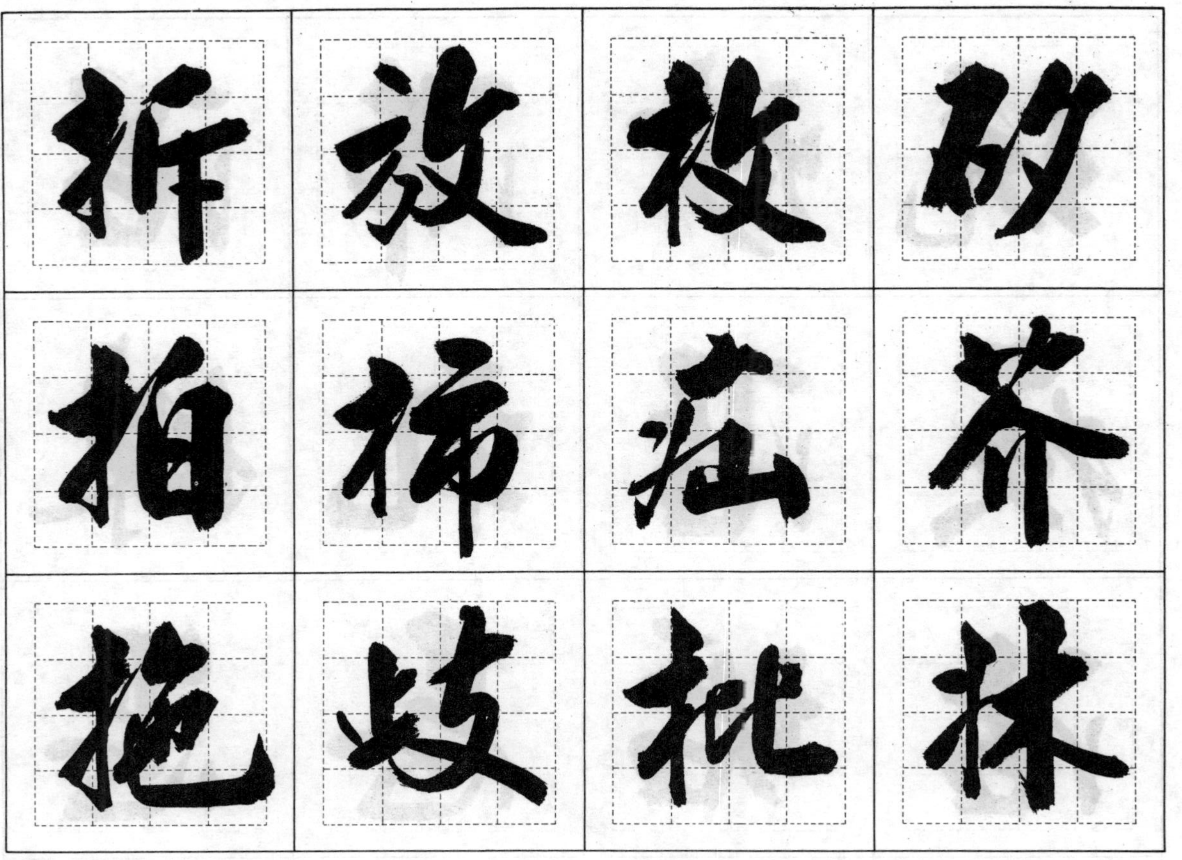

玩
炒
沸
沼
疚
沿
軋
姝
活
垢
忌
怎

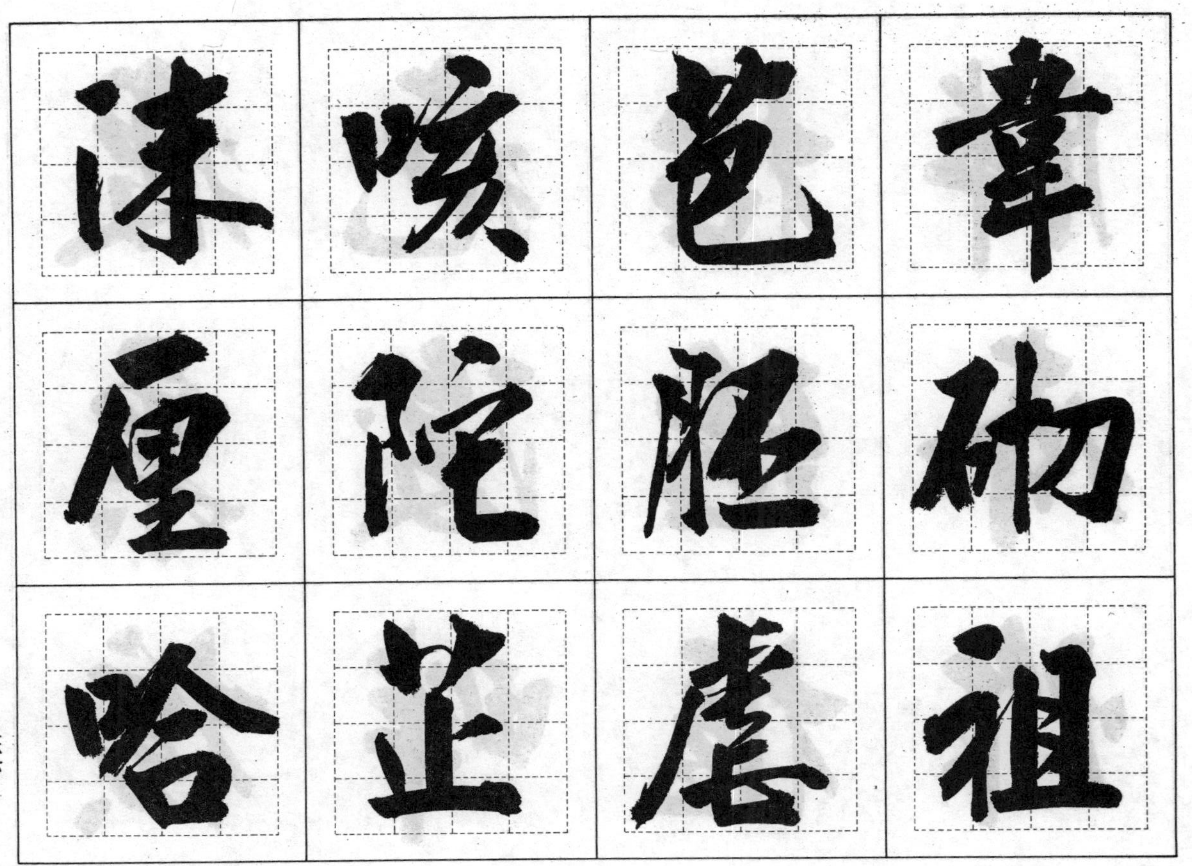
涑 咳 芭 韋
厘 陀 脛 砌
哈 芷 虔 祖

胖 枱 疱 疲
疥 殆 浚 票
炸 柩 畔 核

殉校座倦
挫哩俯疴
效峻哮疸

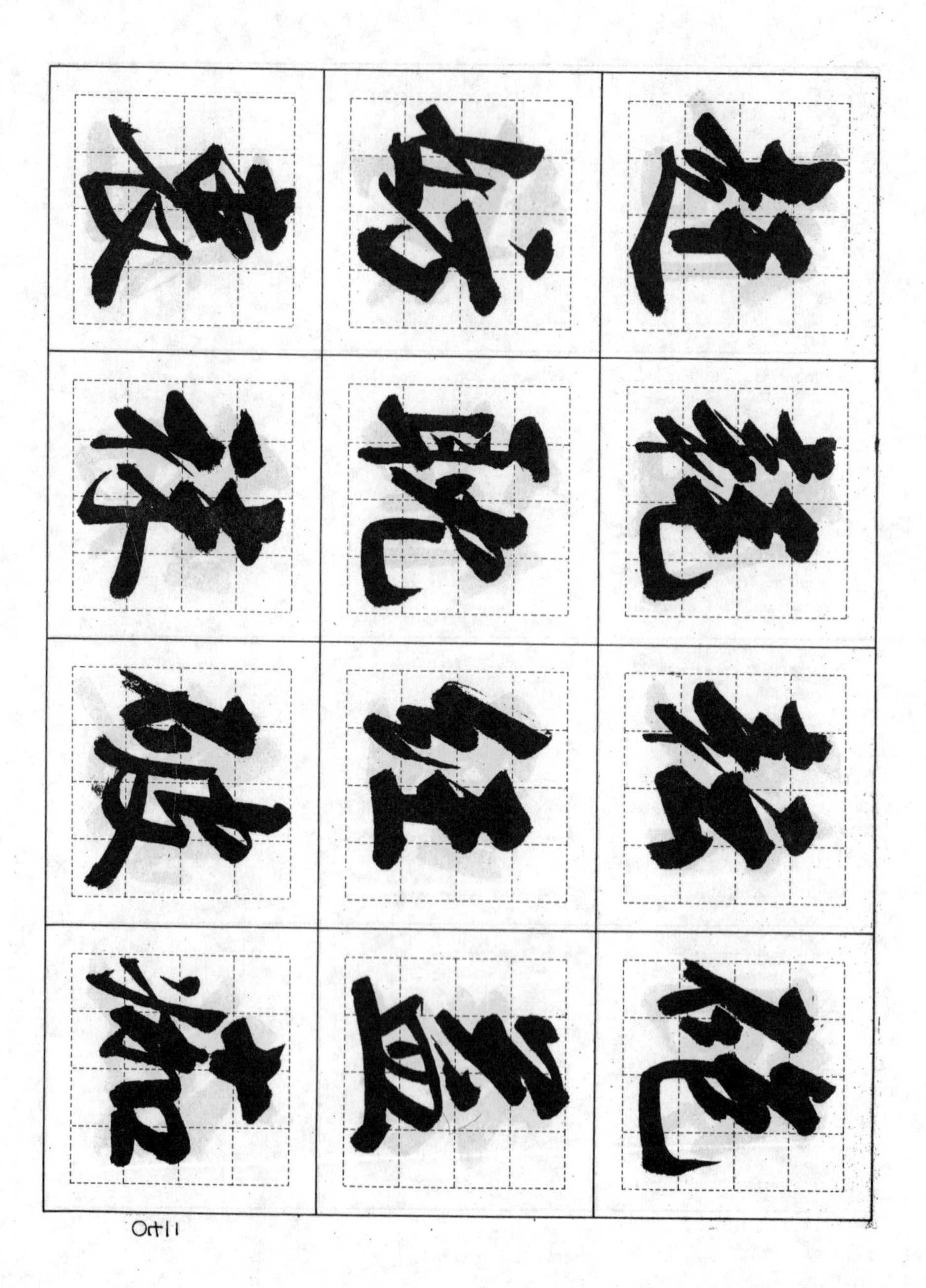

崎 彩 崙 細
偕 釘 崑 紮
動 郝 郡 紳

舶
釗
啡
琦
訟
酤
棺
豚
陪
琳
琶

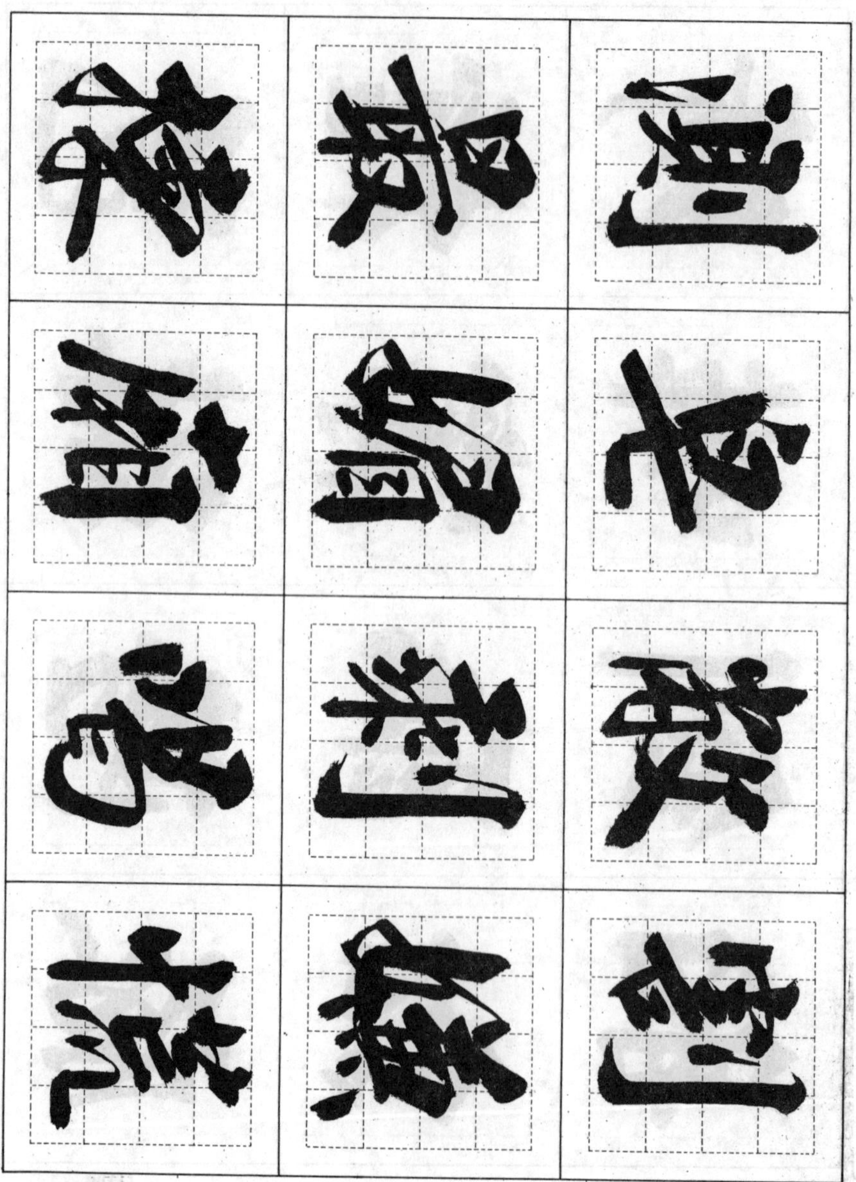

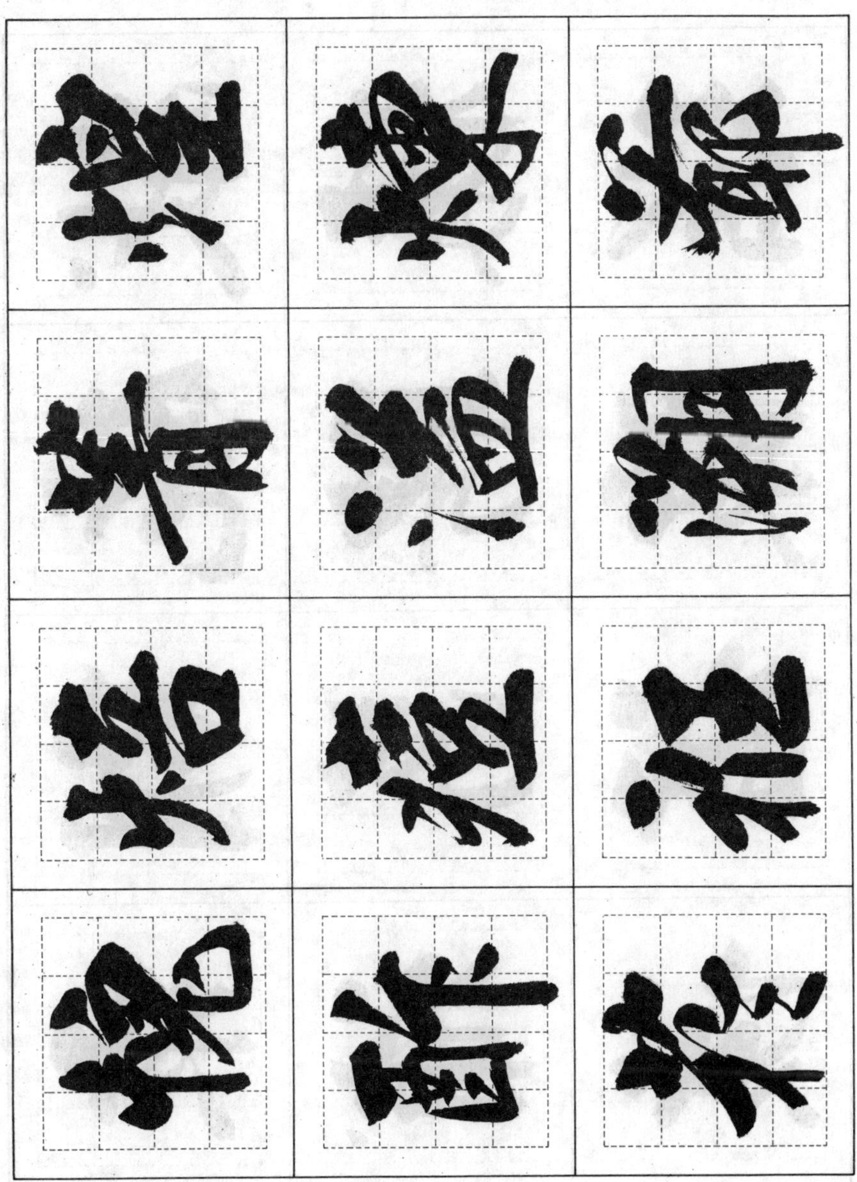

献
碗
瑚
求
猿
聘
葛
補
瑶
腺
裙
该

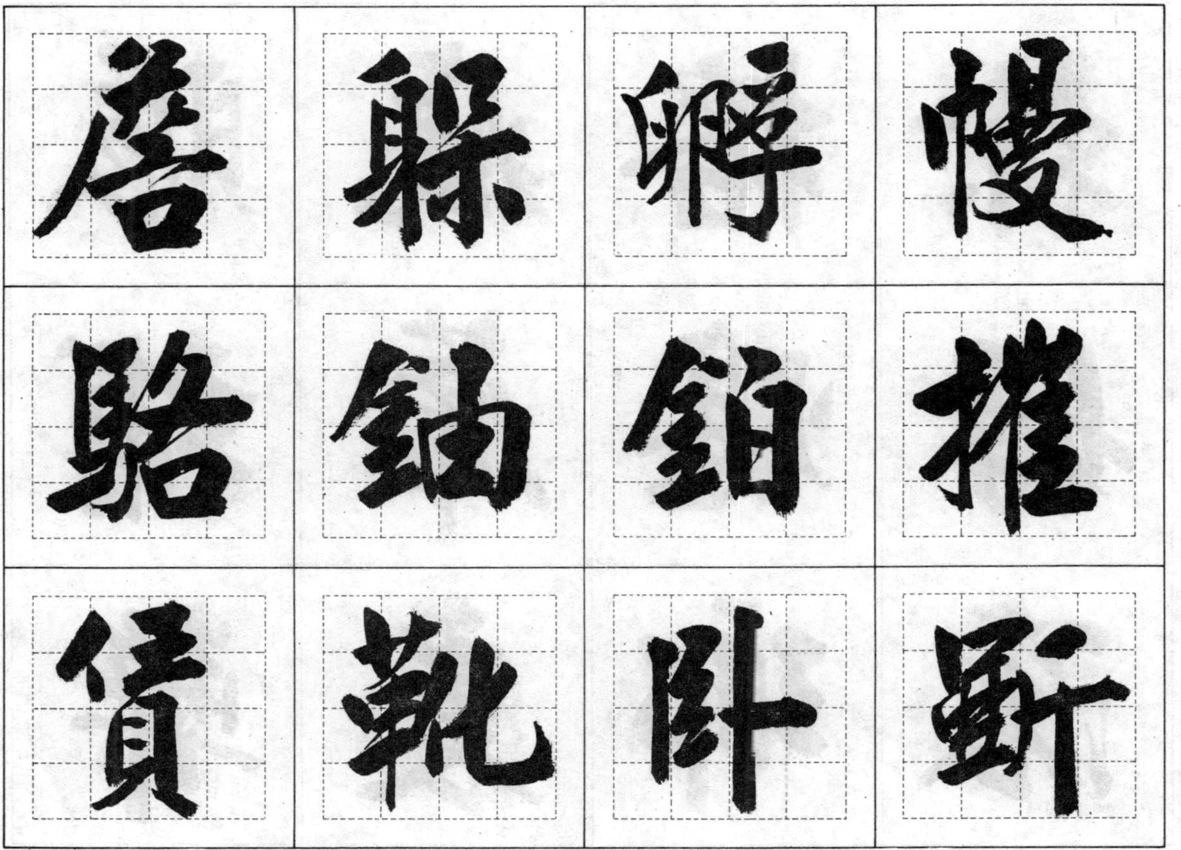

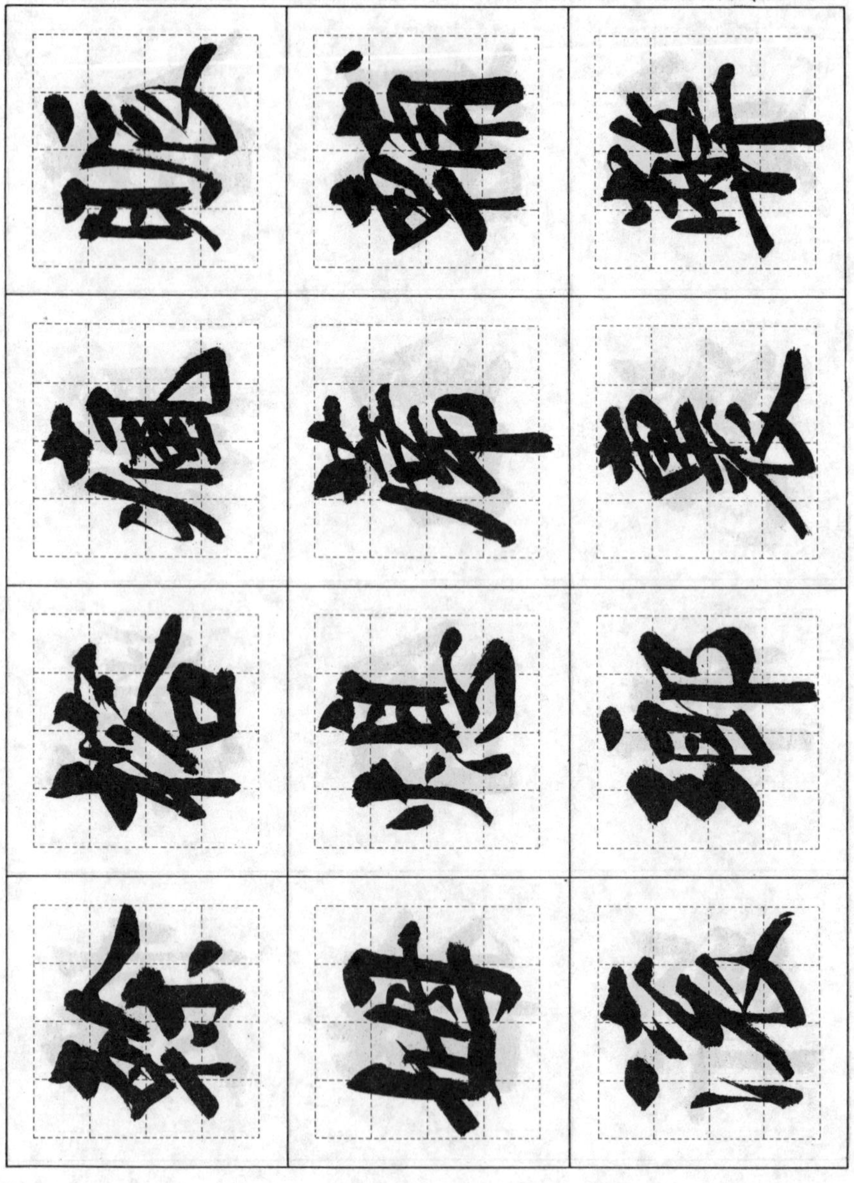

戳 嘴 瘩 熨
噌 磁 瑾
剑 饱 璋 潦

潘 樞 撲 鴰
潑 樣 概 鴨
毅 歎 璣 塵

濁
樹
徼
噴
瀟
澡
擅
麵
橡
樺
餉

餃
踢
蔓
駐
銳
輛
蔔
閱
鋁
締
蔚

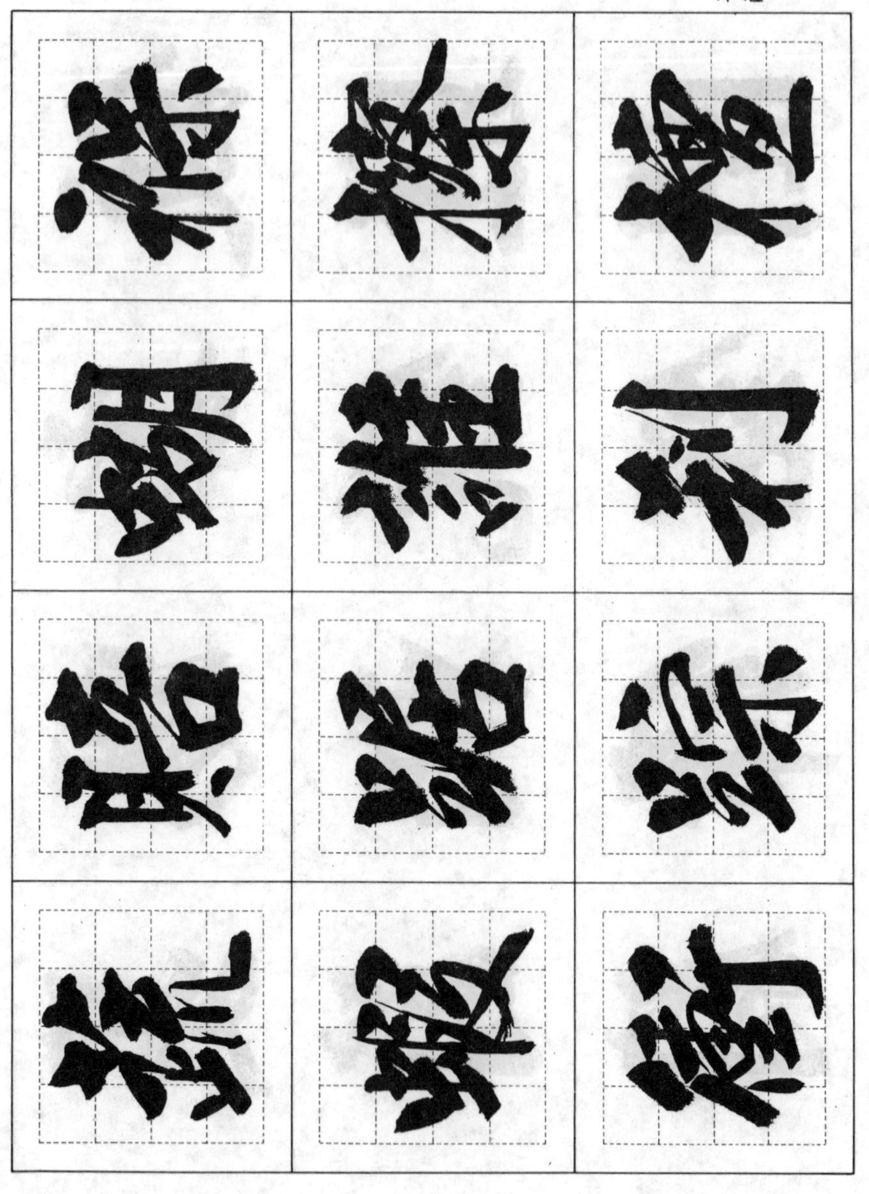

鍛
寵
譚
賓
蹤
贊
鶉
瀟
馥
懺
籍

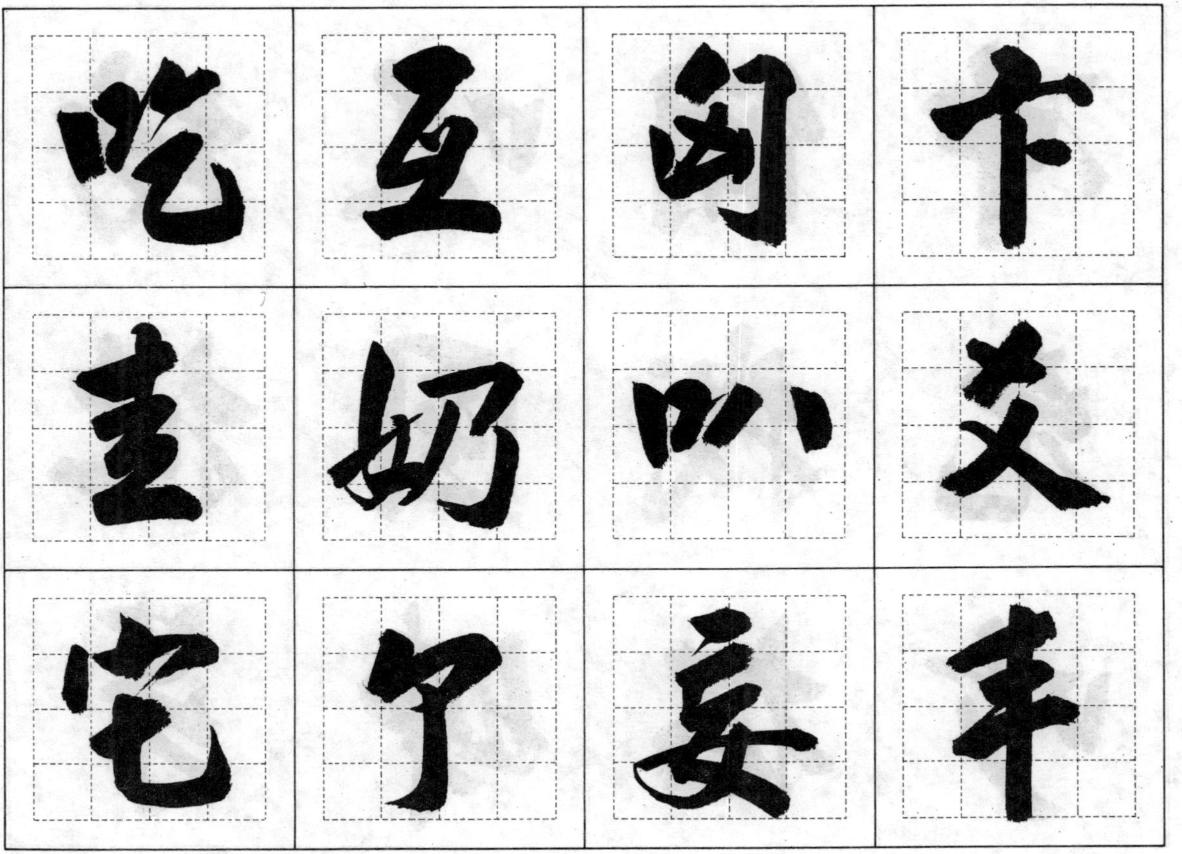

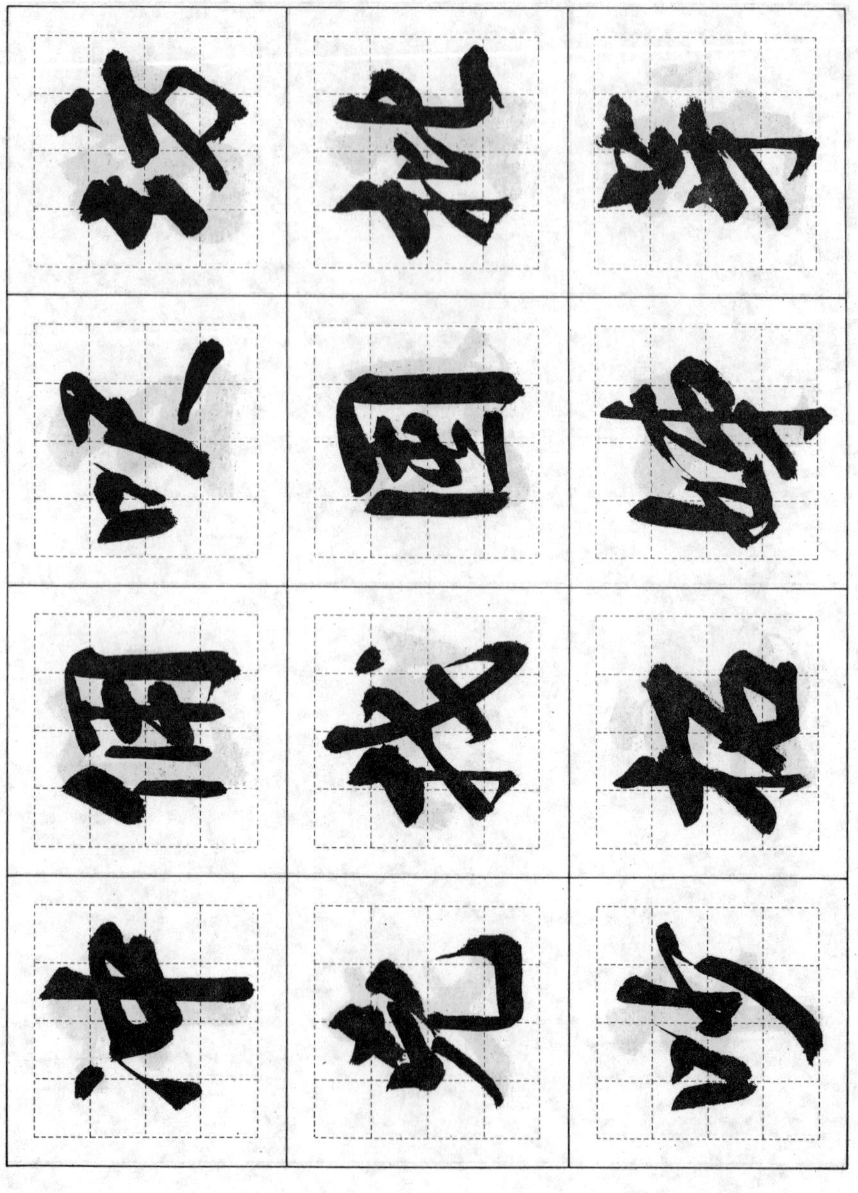

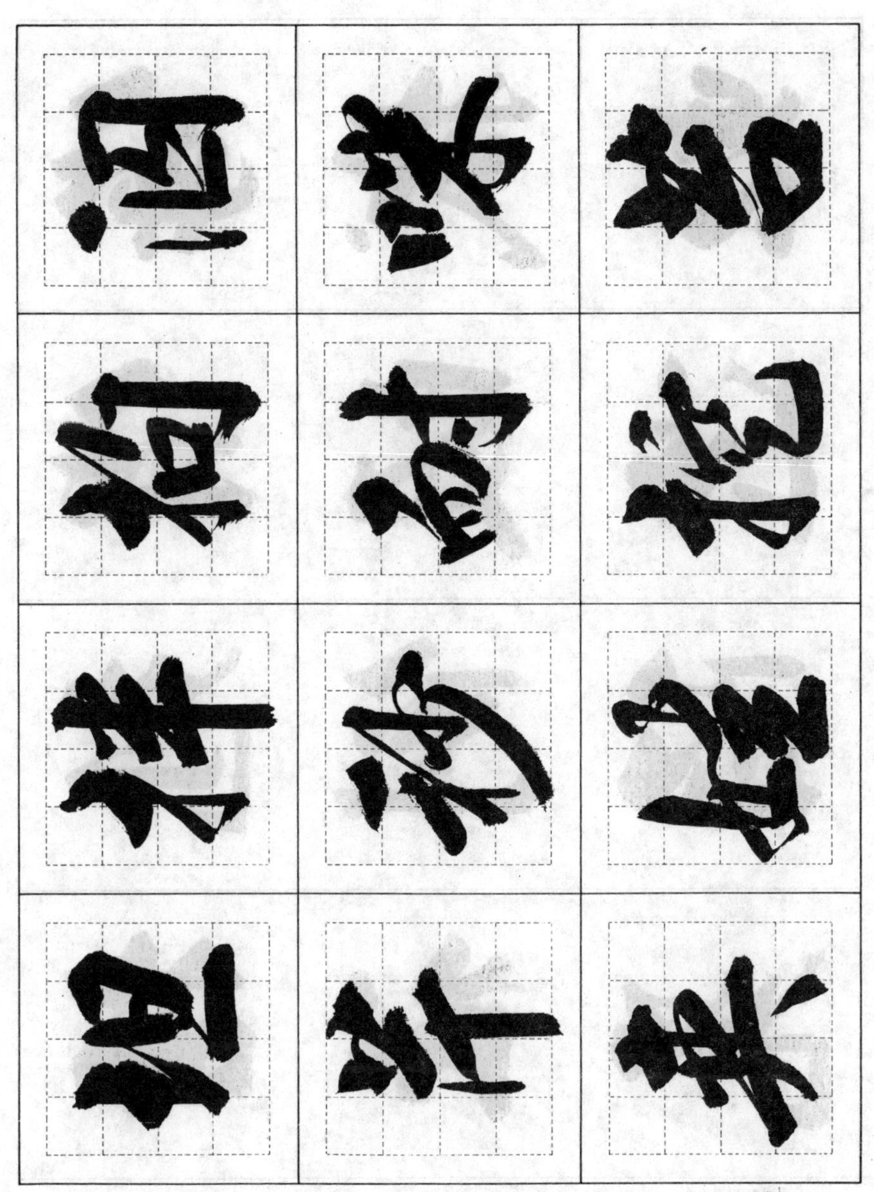

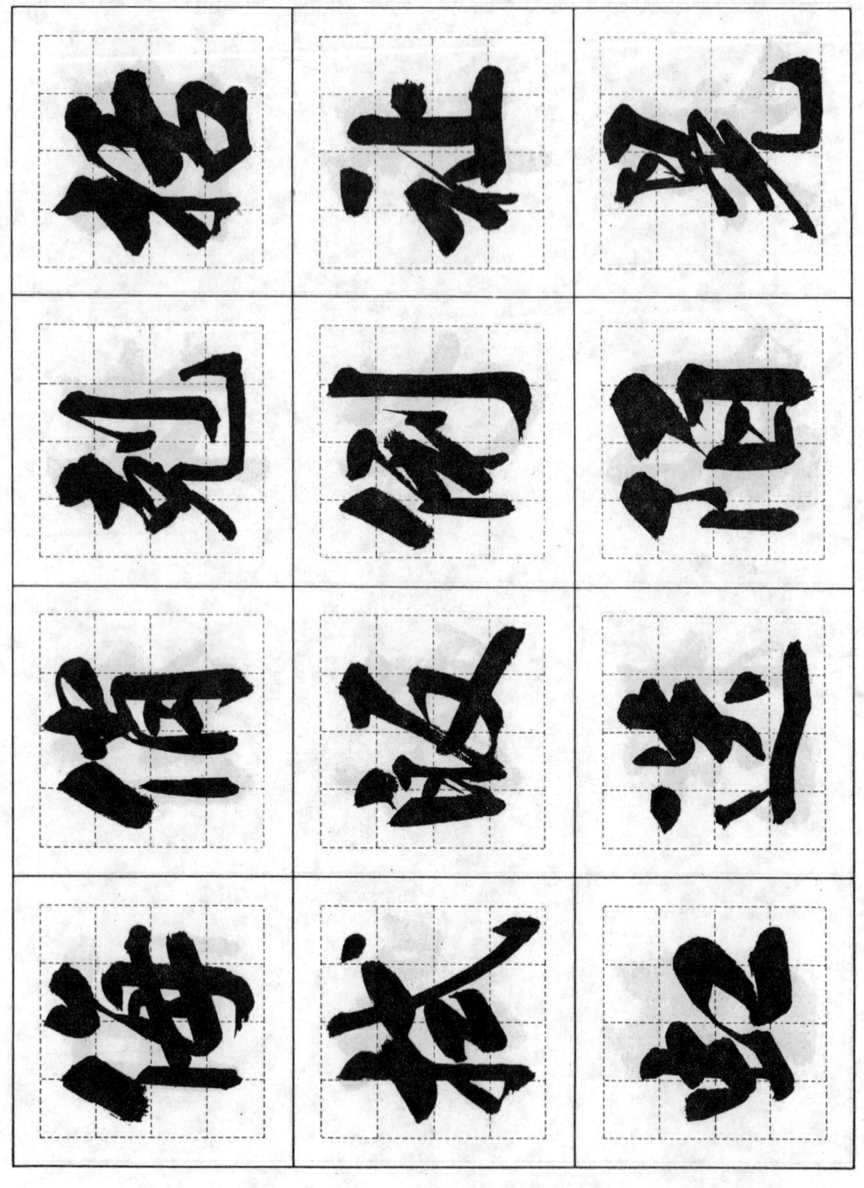

埔
祠
倆
併
烤
退
拿
氣
腈
航
晒
窄

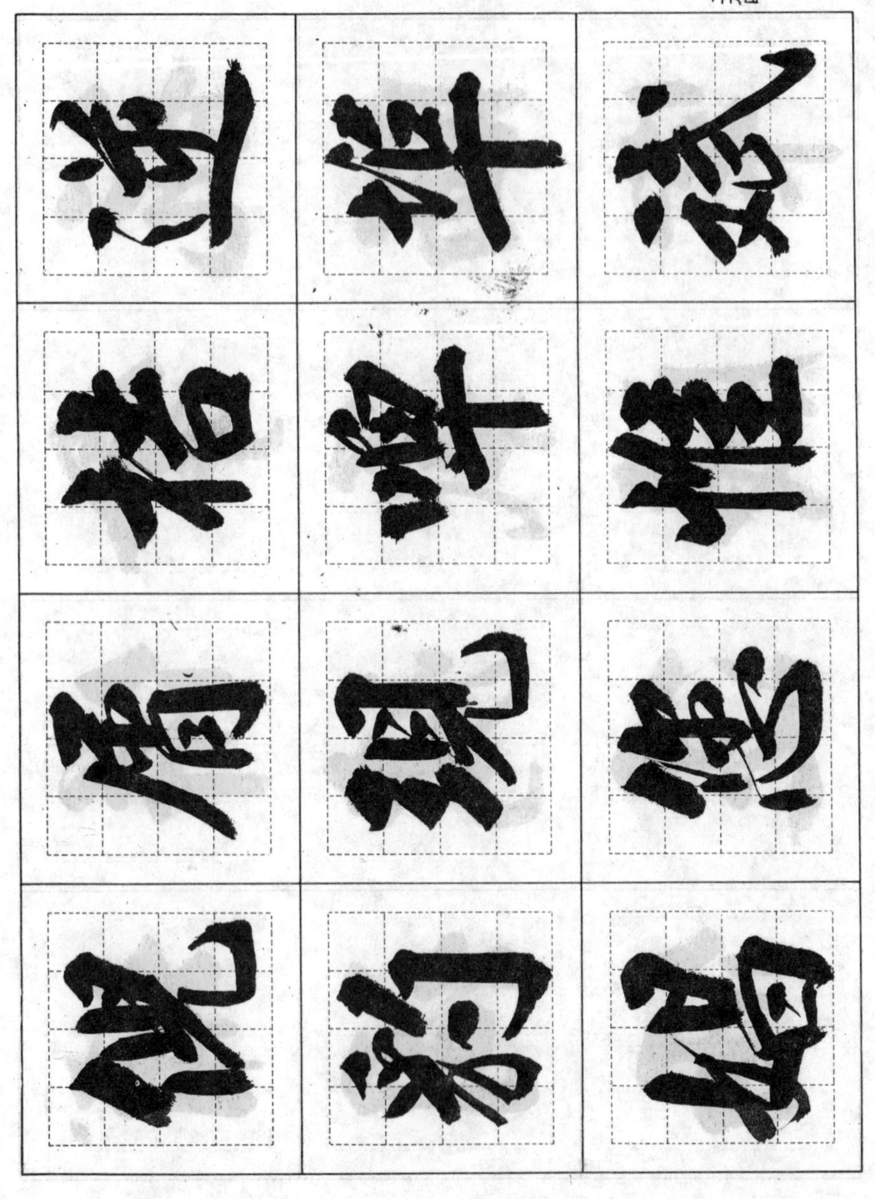

痤 硫 程 萋
蛙 蜩 週 鈍
鈣 陽 罩 像

喇
禎
業
群
腫

賂 騾 較 遊
鉅 雌 飩 馳
瞪 僂 優 剿

劇
嗅
彙
愷
棱
滄
璣
稟
箭
頑
僱
碳

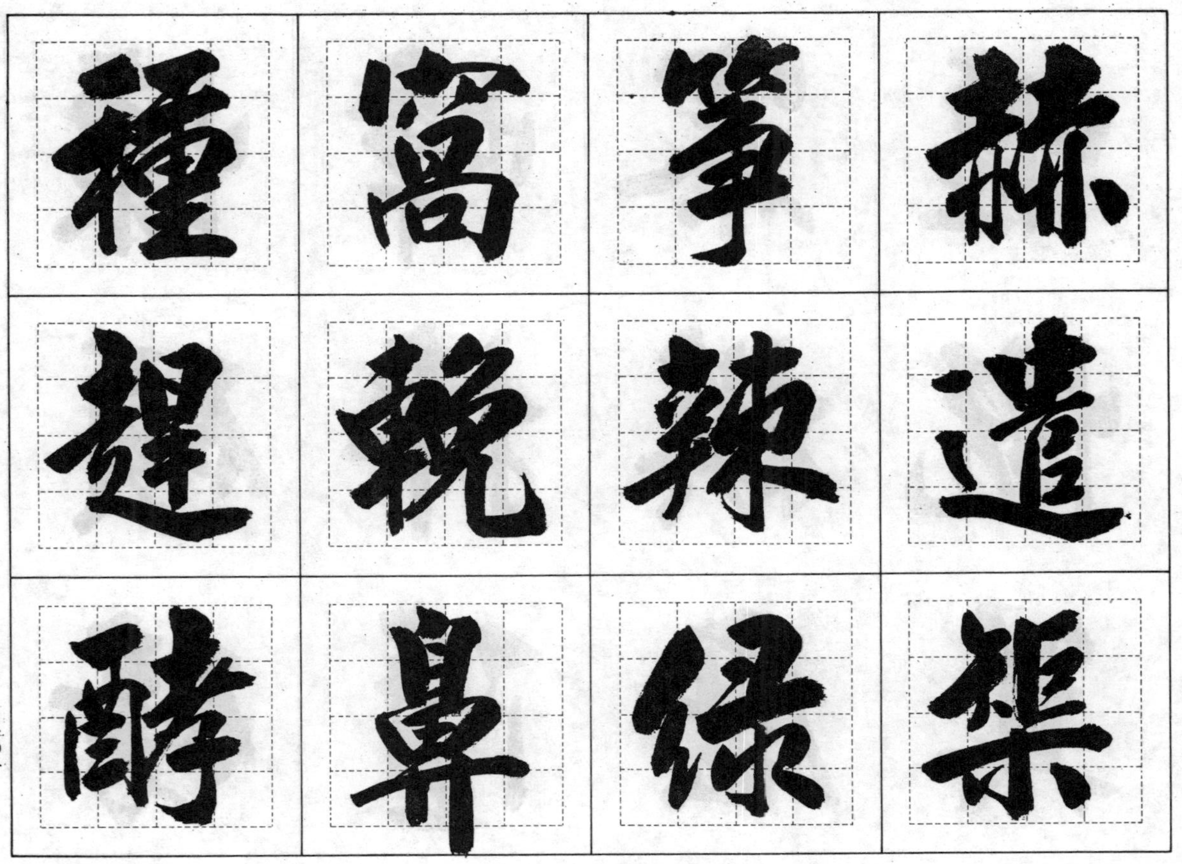

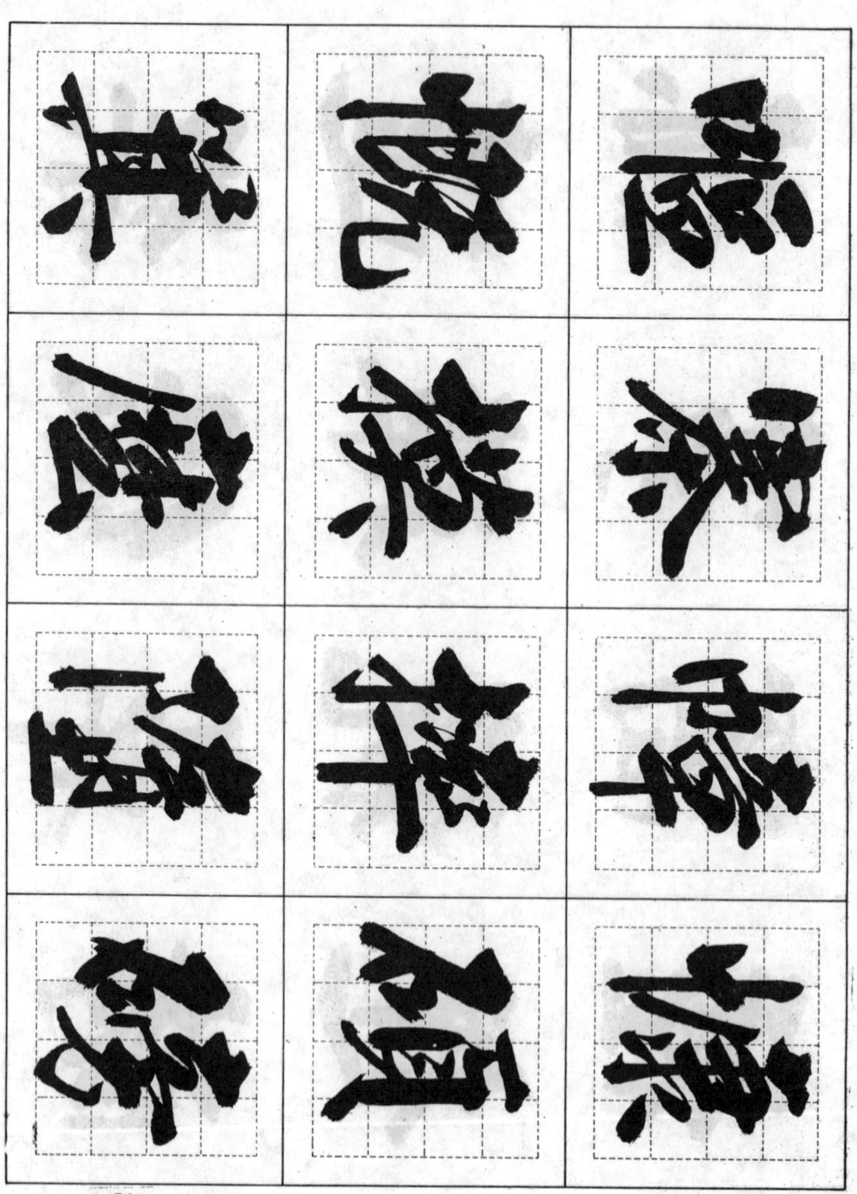

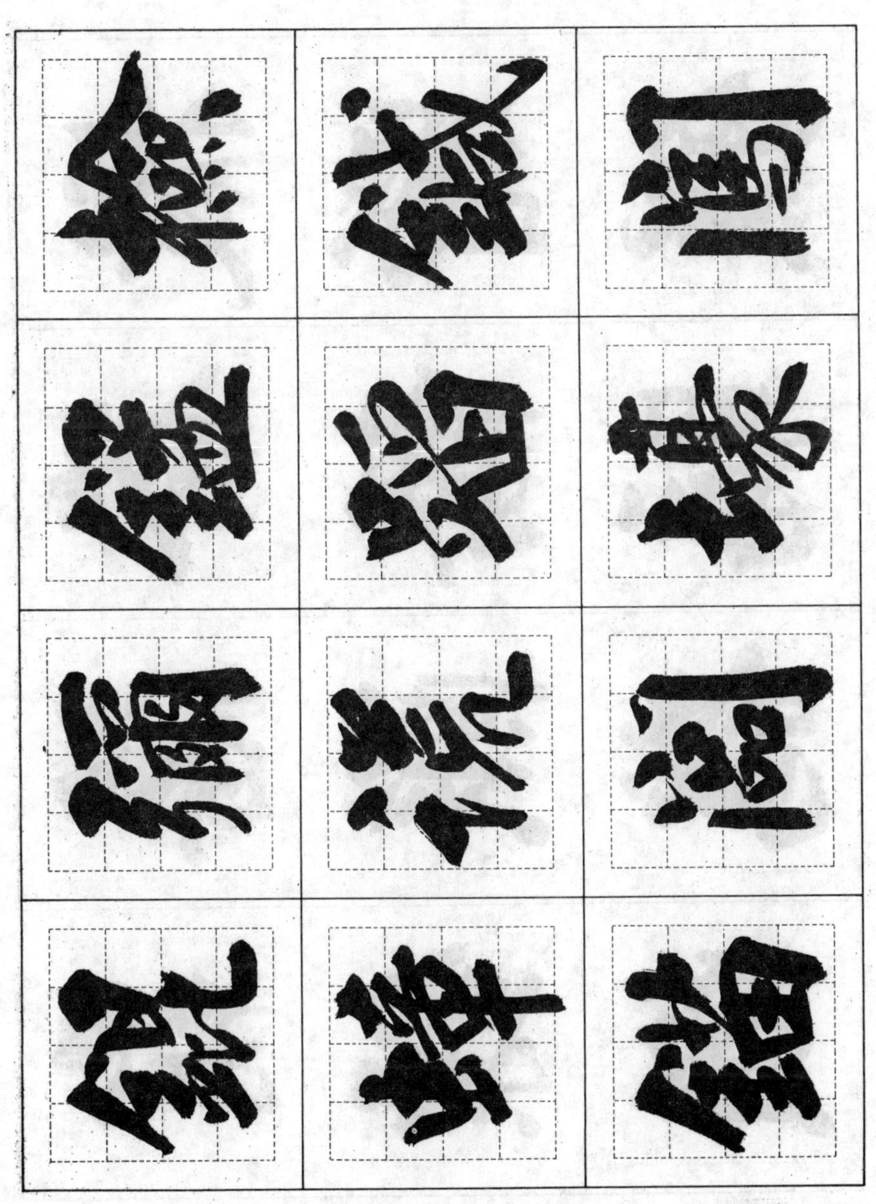

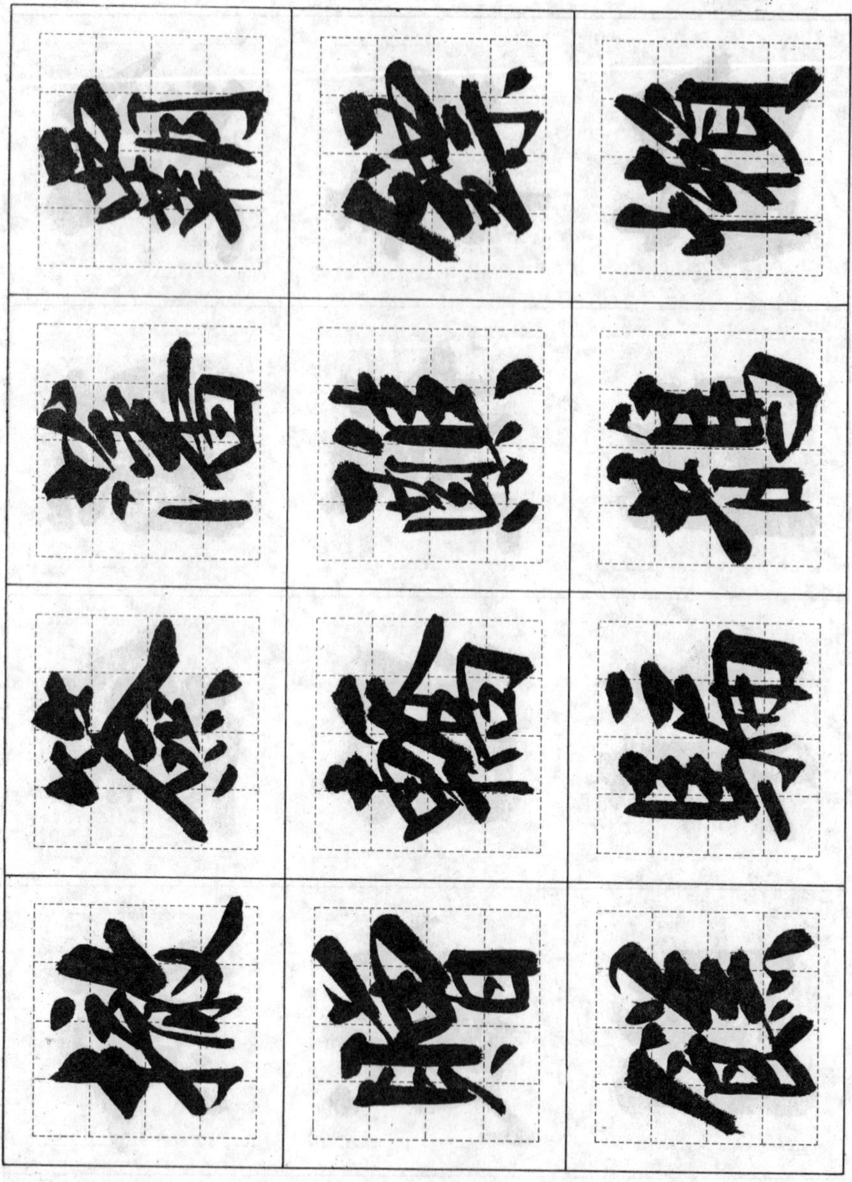

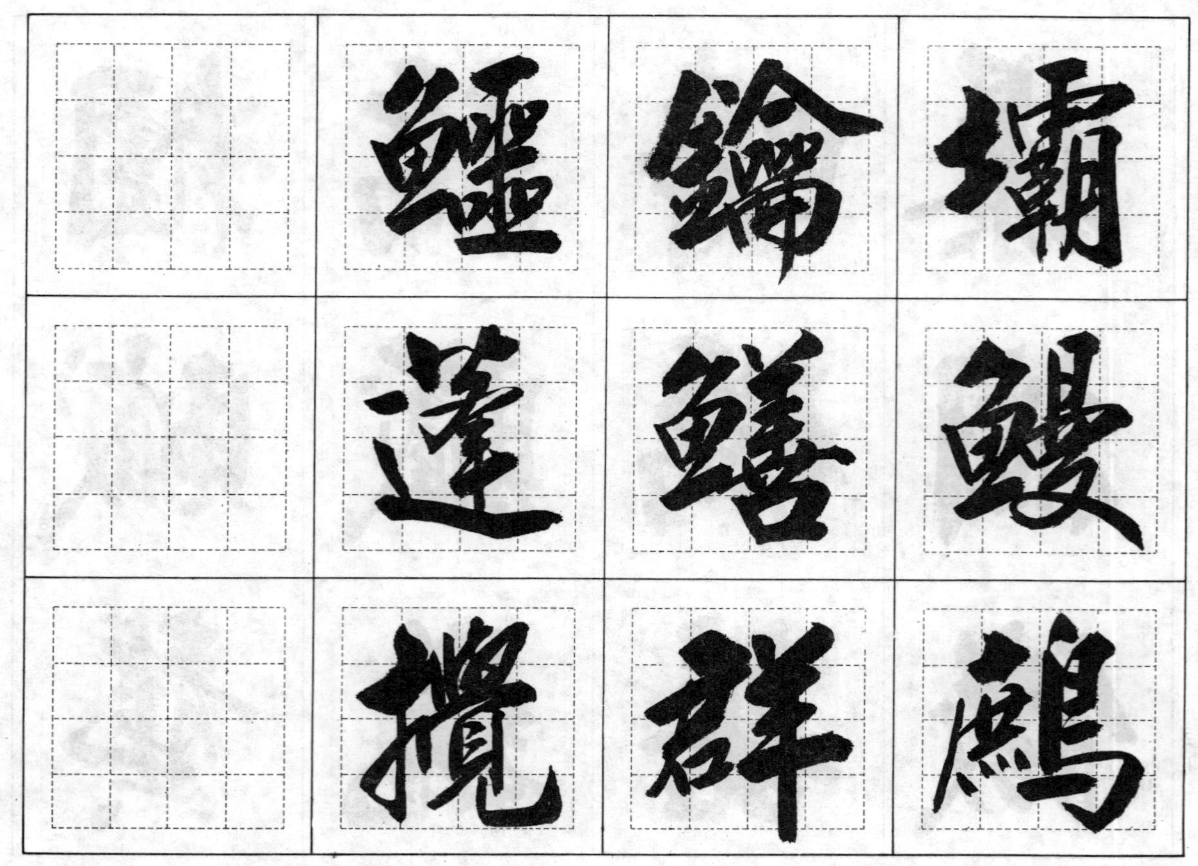
壩
鰻
鷹
鑰
鱔
群
鱷
達
攬